D0774868

ANTHOLOGIE PREVERT

METHUEN'S TWENTIETH CENTURY FRENCH TEXTS

Founder Editor: W. J. STRACHAN, M.A. (1959–78)
General Editor: J. E. FLOWER

ANOUILH: *L'Alouette* ed. Merlin Thomas and Simon Lee
ANOUILH: *La Belle Vie* ed. Anny King
ANOUILH: *Le Voyageur sans bagage* ed. Leighton Hodson
BAZIN: *Vipère au poing* ed. W. J. Strachan
BERNANOS: *Nouvelle histoire de Mouchette* ed. B. Stefanson
CAMUS: *Caligula* ed. P. M. W. Thody
CAMUS: *La Chute* ed. B. G. Garnham
CAMUS: *L'Etranger* ed. Germaine Brée and Carlos Lynes
CAMUS: *La Peste* ed. W. J. Strachan
CAMUS: *Selected Political Writings* ed. J. H. King
DE BEAUVOIR: *Une Mort très douce* ed. Ray Davison
DUHAMEL: *Souvenirs de la Grande Guerre* ed. A. C. V. Evans
DURAS: *Le Square* ed. W. J. Strachan
ERNAUX: *La Place* ed. P. M. Wetherill
ETCHERELLI: *Elise ou la vraie vie* ed. John Roach
GENET: *Le Balcon* ed. D. Walker
GIDE: *Les Faux-Monnayeurs* ed. John Davies
GIRAUDOUX: *Electre* ed. Merlin Thomas and Simon Lee
GISCARD D'ESTAING: *Démocratie française* ed. A. Clark
LAINÉ: *La Dentellière* ed. M. J. Tilby
MAURIAC: *Destins* ed. C. Thornton-Smith
OUSMANE: *O Pays, mon beau peuple!* ed. P. Corcoran
ROBBE-GRILLET: *La Jalousie* ed. B. G. Garnham
ROBBE-GRILLET: *Le Rendez-vous* ed. David Walker
SARTRE: *Huis clos* ed. Keith Gore
SARTRE: *Les Jeux sont faits* ed. M. E. Storer
SARTRE: *Les Mains sales* ed. W. D. Redfern
SARTRE: *Les Mots* ed. D. Nott
TROYAT: *Grandeur nature* ed. Nicholas Hewitt
VAILLAND: *Un Jeune homme seul* ed. J. E. Flower and C. H. R. Niven
Anthologie de contes et nouvelles modernes ed. D. J. Conlon
Anthologie Prévert ed. Christiane Mortelier
Anthologie Éluard ed. C. Scott
An Anthology of Second World War French Poetry ed. I. Higgins
Anthologie Mitterrand ed. Alan Clark

METHUEN'S TWENTIETH CENTURY TEXTS

Jacques Prévert

ANTHOLOGIE PREVERT

Edited by
Christiane Mortelier
Senior Lecturer in French
Victoria University of Wellington, New Zealand

Methuen Educational Ltd

First published in 1981 by
Methuen Educational Ltd
11 New Fetter Lane, London EC4P 4EE
Reprinted 1984 and 1987

Printed in Great Britain by
Richard Clay (The Chaucer Press) Bungay, Suffolk

British Library Cataloguing in Publication Data

Prévert, Jacques
Anthologie Prévert.—(Methuen's twentieth century texts).
I. Mortelier, Christiane
841'.9'12 PQ2631.R387

ISBN 0-423-90090-0

CONTENTS

	page
LIST OF POEMS	vii
INTRODUCTION	1
Prévert's life and works	1
A poet for the audio-visual era	5
A popular poet in the oral tradition	9
Refusal and acceptance	14
Prévert and the arts	20
NOTES TO THE INTRODUCTION	27
SELECT BIBLIOGRAPHY	32
Children's books	33
Records and music	33
FILM SCRIPTS	35
A SELECTION OF CRITICAL WORKS ON JACQUES PREVERT	36
ANTHOLOGIE PREVERT	37
NOTES TO THE POEMS	131

The editor and publishers are grateful to the estate of Jacques Prévert and to Librairie Gallimard for permission to reproduce the poems in this collection, with the exception of 'Varengeville', 'Oasis Miró', 'Miroir Miró' and 'Fêtes de Calder', which are reproduced by permission of Editions Maeght. Portrait of Prévert: Photo Jacques Robert N.R.F.

LIST OF POEMS

		page
I	ENFANCE et ECOLE	39
	Chanson pour les enfants l'hiver, *Histoires*	41
	Le Chat et l'oiseau, *Histoires*	41
	Refrains enfantins, *Spectacle*	42
	Jour de fête, *Histoires*	43
	Etre ange, *Fatras*	44
	L'Etoile de mer, *Fatras*	45
	Les Animaux ont des ennuis, *Histoires*	45
	L'Orgue de Barbarie, *Paroles*	46
	Chanson des escargots qui vont à l'enterrement, *Paroles*	48
	A Paris . . ., *Grand bal du printemps*	49
	Arbres . . ., *Charmes de Londres*	51
	Les Enfants exigeants, Dressage, En classe, La Classe hantée, Force de frappe, *Choses et autres*	51
	Le Cancre, *Paroles*	52
	Page d'écriture, *Paroles*	53
	Paris, 1907, Rue de Vaugirard, *Enfance*	54
	Souvenirs de famille, *Paroles*, 'On allait se coucher . . .' (extract)	55
	Les Belles Familles, *Paroles*	56
	Composition française, *Paroles*	56
	En sortant de l'école, *Histoires*	57
II	DIEU, LA SOCIETE et LE MONDE DU TRAVAIL	59
	Déjeuner du matin, *Paroles*	61

page

Familiale, *Paroles* 62
Inventaire, *Paroles* 62
Un jour..., *Grand bal du printemps* 64
Pater Noster, *Paroles* 66
La Nouvelle Saison, *Histoires* 67
Chanson dans le sang, *Paroles* 68
La Batteuse, *Paroles* 70
Chanson des sardinières, *Spectacle* 71
Evénements, *Paroles*, Le Cauchemar du chauffeur de taxi (extract) 72
Chasse à l'enfant, *Paroles* 73
Chanson de l'eau, Aubervilliers, *Spectacle* 74
La grasse matinée, *Paroles* 75
Tentative de description d'un dîner de têtes à Paris – France, *Paroles*, 'Le soleil brille pour tout le monde...' (extract) 77
Suivez le guide suivez le guide, *Grand bal du printemps* 78
Il ne faut pas..., *Paroles* 79
Escales, *Choses et autres* 80
Et d'autres dans d'autres rues s'en vont..., *Charmes de Londres* 80
Le désespoir est assis sur un banc, *Paroles* 81
Au hasard des oiseaux, *Paroles* 82

III L'AMOUR 85

Et ta sœur?, *Choses et autres* 87
Chanson, *Paroles* 87
Le Jardin, *Paroles* 88
Chant song, *Spectacle* 88
Hyde Park, *Charmes de Londres* 90
Alicante, *Paroles* 90
Sanguine, *Spectacle* 91
On frappe, *Histoires* 91
Le Lézard, *Histoires* 92
Paris at night, *Paroles* 92

page

Sables mouvants, *Paroles* 92
Le tendre et dangereux visage de l'amour, *Histoires* 93
Pour toi mon amour, *Paroles* 93
Les Ombres, *Histoires* 94
Entrée Entrance . . ., *Charmes de Londres* 95
Oh Folie . . ., *Charmes de Londres* 96
Chanson du mois de mai, *Histoires* 97

IV LA GUERRE 99

Sur le champ, *Spectacle* 101
Le discours sur la paix, *Paroles* 102
Le fusillé, *Histoires* 103
La Crosse en l'air, *Paroles*, '. . . des militaires italiens bombardent un village abyssin' (extract) 103
Tout s'en allait . . ., *La pluie et le beau temps* 104
Barbara, *Paroles* 105
L'Ordre nouveau, *Paroles* 107
Le Contrôleur, *Paroles* 108
Câble confidentiel . . ., *Histoires* 109
Fêtes à souhaiter . . ., *Choses et autres* 110

V L'ART ET LE LANGAGE 111

L'Ecole des Beaux-Arts, *Paroles* 113
La Fête secrète, *Fatras* 113
Dans les eaux brèves de l'aurore . . ., *Grand bal du printemps* 114
La Cinquième Saison, *Fatras* 115
Complainte de Vincent, *Paroles* 116
Promenade de Picasso, *Paroles* 118
Dans ce temps-là . . ., *Spectacle*, 'Parfois la lanterne magique des peintres tourne . . . (extract) 119
Le Verre blanc porte bonheur 121
Oasis Miró, *Miró*, 1956 122
Miroir Miró, *Miró*, 1956 123
Fêtes de Calder, 1971 123

page

Varengeville, 1968, 'Braque à quoi pensait-il . . ' (extract) 124
Eau . . ., *Charmes de Londres* 126
Le Langage dément . . ., *Choses et autres* 127
Les Douze Demeures des heures de la nuit, *Choses et autres* 127
Enfant sous la Troisième . . ., *Histoires* 128

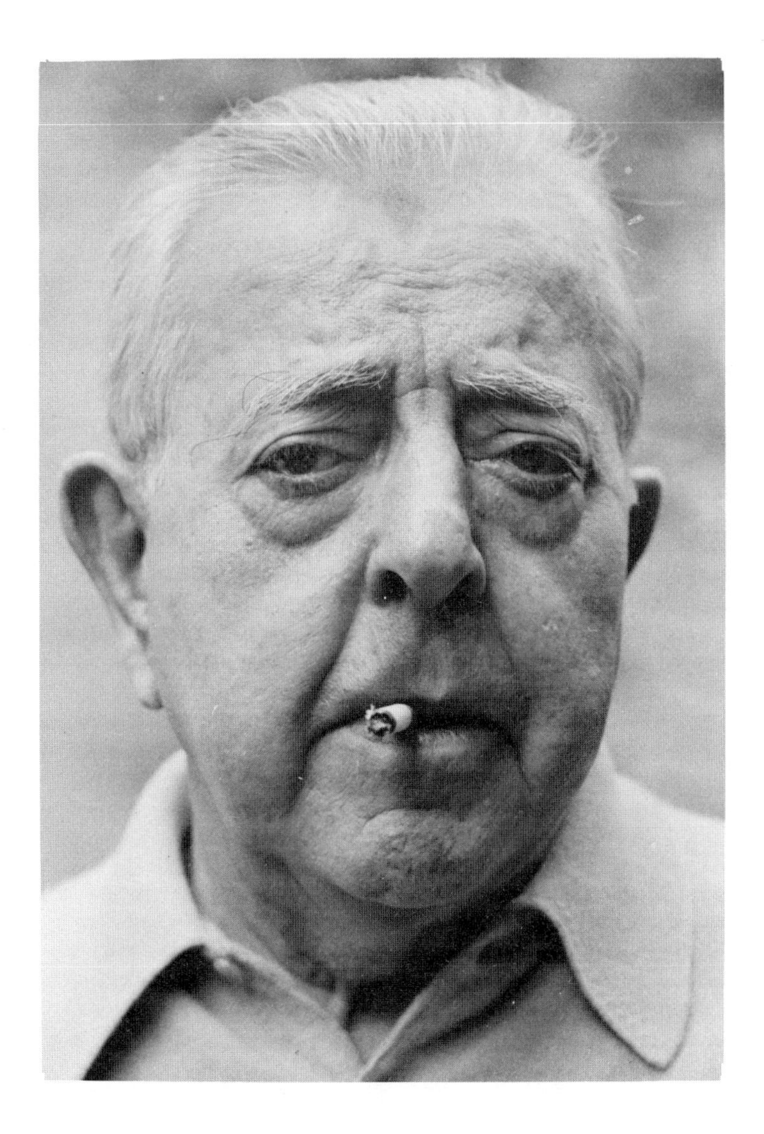

INTRODUCTION

Prévert's life and works

Jacques Prévert was born at the very beginning of the twentieth century on 4 February 1900 at Neuilly-sur-Seine, the second son of an ordinary middle-class family where money was often short but love and companionship plentiful. In *Enfance*, a long narrative published in 1959 [1], he writes directly about his childhood and family. He tells of a warm, light-hearted mother and of an easy-going father, often in debt and frequently dependent on a strict bourgeois grandfather, 'Auguste-le-Sévère', who insisted on a Catholic schooling for his grandchildren and found his son a job with the *Office Central des Pauvres de Paris* [2]. On Thursday, the traditional day off school at that time, Jacques would often accompany his father on his rounds visiting 'the deserving poor'. The regular spectacle of the Paris streets of his childhood before the First World War provided him with a stock of images he constantly drew on later in his film-scripts and poems [3], and kindled his sympathy for the underprivileged.

Prévert was too young for active service when the First World War overtook Europe. He started earning his living as a shop assistant in a department store and tried other jobs but could never hold them down for very long [4].

Called for military service to Lunéville in 1920, he formed a friendship with a tall eccentric Breton, Yves Tanguy, later to become known as a surrealist painter [5]. Sent to Constantinople in 1921 to finish his service, he made another life-long friend in Marcel Duhamel, who was to translate English and American detective novels into French much later on, and eventually to become the chief editor of the famous Gallimard *Série Noire* collection. According to Duhamel, Prévert established a reputation as a practical joker in the army despite the efforts of the military to repress his enthusiasm for pranks.

Back in Paris the three of them supported themselves with a variety of temporary jobs; by 1924 they were living in Montparnasse in an old house rented by Duhamel, the only one of them with a regular income. There they lived with their future wives until 1927–8 when they went their own ways [6]. Prévert had a few walk-on parts in films, Tanguy started drawing and painting, they read voraciously and lived intensely in an atmosphere of unbridled freedom and gaiety characteristic of the spirit of the 1920s as a whole. Thanks to Pierre Prévert, Jacques's younger brother and film-projectionist with Erka-Prodisco, they spent their nights and many a day watching films. By 1925 the house at 54 rue du Château had become an occasional meeting-place for the surrealist poets and painters because 'une sorte de dadaïsme parallèle s'y était développé' [7]. Prévert's verbal fireworks astonished everybody, but he was not yet writing.

Souvenirs de Paris ou Paris-Express, a documentary on the picturesque aspects of Paris in 1927–8, marked the beginning of Prévert's involvement in film-script writing [8]. His interest in linguistic experiments attracted the attention of the Paris-based American magazine *Transition*, which printed his first text 'Un peu de tenue' [9].

By 1930 he had made a good start as a satirist with 'Mort d'un monsieur' in the anti-André Breton pamphlet *Un cadavre*; this piece confirmed his previous exclusion from the surrealist group. Ribemont-Dessaignes, the editor of *Bifur*, published his satirical narrative *Souvenirs de famille ou l'ange garde-chiourme* in December 1930, introducing Prévert in these terms: 'Trente ans. Ecrit, dit-il, en mauvais français, pour les mauvais français' [10]. A few months later, his most brilliant satire, modestly entitled *Tentative de description d'un dîner de têtes à Paris-France* appeared in the select *Commerce* [11]. This 'attempt' is rigorously sustained through a dozen pages in which he denounces the corruption and hypocrisy of the bourgeoisie and threatens French society with radical changes. His newly-voiced talent for social protest was reinforced by the world-wide economic crisis of the 1930s which gave him ample opportunity to side with the underdog. For four years, from 1932 to 1936, he became a major contributor to *Le Groupe Octobre*, a theatre group sponsored by the *Fédération du Théâtre Ouvrier Français* [12]. It was made up of a collection of talented and unpaid young people trying to mobilize public opinion against the growing misery of the depression. Taking their name from the Russian Revolution of October 1917, the group's political direction was obviously left-wing with some of its members affiliated to the French Communist Party. As a group, however, they kept their distance from it, as Prévert, their major writer, would not forfeit his uncompromising independence of mind, not surprisingly labelled 'deviationism' by party officials. In his contributions to *Le Groupe Octobre*, Prévert wrote *Actualités* [13] and *choeurs parlés* [14], and also farces, pantomimes, and sketches satirizing French society, interspersed with sentimental ballads and protest songs. In the summer of 1933, the group was invited to the *Olympiades du théâtre ouvrier* in Moscow. There they presented Prévert's farcical play *La Bataille de Fontenoy*, his *Actualités*, *L'Avènement d'Hitler* and the *choeur parlé*, *Citroën* which were well received [15].

In the following years, the volume and quality of his poetry increased. His first songs were written in 1933 when he met the composer Joseph Kosma. He was looking for lyrics 'équivalents comme esprit mais différents dans la forme' [16] from the songs of Bertolt Brecht, which could give rise to *chansons atemporelles* independent of the fashion of the day. In this vein he wrote 'La pêche à la baleine', 'Familiale', 'La Chasse à l'enfant', 'L'Orgue de Barbarie' [17], which are real classics in this genre and marked the beginning of a life-long collaboration with Kosma. Prévert was now turning his hand to a wide range of topics and feelings, tackling them with punning, lists and repetition of key-words, stylistic devices which characterize all his work. However, by 1936–7 his period of social commitment with *Le Groupe Octobre* had come to an end; political issues no longer appeared so clear-cut, and Prévert's dramatic talent had found a regular outlet in film-making. The spirit of *Octobre* would still pervade much of his later work though it did not find much encouragement in the film industry of the time.

Prévert collaborated with the best French producers: Marc Allégret, Jean Renoir, Jean Grémillon, Claude Autant-Lara, Christian

Jacque, Jean Delannoy and André Cayatte [18]. His collaboration with Marcel Carné began in 1936 and lasted throughout the war and until 1949. *Les Visiteurs du soir* [19] and *Les Enfants du paradis* – their masterpiece – were produced in the south of France during the war [20].

At the time of the Liberation, Prévert's talents turned to ballet [21] and pantomime [22], and with the birth of his daughter Michelle, he started writing children's stories [23] and animated cartoons [24]. In December 1945 his first collection of poems, *Paroles*, came out and was immediately successful. The following year saw the publication of *Histoires*. Many of his dramatic poems and former sketches like 'La Rose Rouge' [25] and 'La Fontaine des Quatre Saisons' [26] were taken up and produced in fashionable cabaret-theatre. Famous singers such as Juliette Greco included his songs in their repertoire, making them known through records and radio [27].

Following a serious accident in 1947 (he fell from the first floor of a sound studio), Prévert moved to the better climate of St Paul de Vence until 1955, when he returned to Paris and settled in the Cité Véron in Montmartre, next door to the avant-garde poet and novelist Boris Vian. Throughout the 1950s he continued working for the cinema [28] and radio [29] while publishing collections of plays [30] and poems, many of them written earlier [31]. His interest in the visual arts steadily increased in the latter part of his life, as shown by his collaboration with photographers [32], his exhibition of collages [33], and his poem-commentaries illustrated with etchings or lithographs by famous artists [34]; he also turned to television writing with his brother Pierre [35]. In his last collection of texts, entitled *Choses et autres* [1972], thematic unity of a kind is created by systematic debunking of Fifth Republic ideals through a wide variety of styles. Poems are fewer, aphorisms and narratives more numerous. 'Enfance', the initial poetic narrative, is balanced by 'La Femme acéphale', the bitter last text in the collection. Both are rambling narratives, seemingly unfinished. *Hebdromadaires*, also published in 1972, is mostly composed of somewhat disjointed interviews with the poet who demonstrates his familiar technique of verbal collage apropos newspaper articles.

In the last ten years of his life, Prévert's contribution to French cinema was twice officially acknowledged; he was awarded the

Grand Prix du Cinéma of the Society of Authors and Dramatists in 1967, and the *Grand Prix National du Cinéma* in 1975. He was awarded the *Grand Prix* of the Society of Authors in 1973 for 'all his work'.

A compulsive smoker, he died a victim of 'la très douce sorcière Nicotine' [36] on 11 April 1977 at Omonville-la-petite, a tiny village in the Cotentin where he had retired in 1972. The whole of the French Press paid an unusual amount of attention to his death and his career. Commentators in *Le Monde* praised in him 'l'anar d'une époque', 'un rouspéteur de génie' and 'un enfant du paradis' who knew how to evoke 'la chanson des jours' [37]. Apt as these remarks seem, they may well have been coloured by the general tone of his later writings, and fail to reveal that unique combination of particular qualities which has ensured his continuing popularity [38].

A poet for the audio-visual era

Prévert is a new kind of poet who could only have been produced in the twentieth century, a time when social and political changes have been precipitated by such rapid progress in technology that the traditional notion and practice of poetry have become obsolete. Poetry to be read at leisure and meditated upon, poetry written by the very literate for those happy few with sufficient time and culture to appreciate it, has become quite inadequate to meet the demands of an ever-increasing and quite different audience. Poetry conceived as words organized into regular fixed patterns, couched in special diction – words for the printed page – could not readily adapt either to the technical requirements of the emerging mass media.

Prévert was born at the time when the mass media were in their infancy, but throughout his childhood he was exposed to the wonders of the cinema. André Prévert brought up his son on a weekly fare of motion pictures and companionship, accustoming him to the sights, sounds and people of the Paris streets. His relaxed approach to living and education did much to sharpen the young Prévert's natural powers of observation and develop his ear for ordinary spoken language, while the techniques of the motion picture fashioned his vision. He was a typical product of that new generation deeply affected by the cinema which 'caught them young enough to mark them and to penetrate them with its magic effects ... they went to school in front of the screen: the films having created a new kind of truancy' [39]. Later Prévert turned naturally to film-making to earn a living. Looking back in 1972, he explained what working for the cinema meant in the 1930s: 'J'ai d'abord fait de la figuration, puis j'ai été assistant metteur en scène, puis j'ai écrit des scénarios. Mais souvent j'étais rebouteux, rempailleur de films; il fallait refaire le scénario parce qu'on tournait dans quinze jours' [40]. In those days the cinema was not considered a suitable province for 'serious' poets: 'Le cinéma était encore méprisé de l'élite et considéré comme un divertissement forain...' [40]. Yet it could offer unlimited possibilities for making modern poetry relevant for a vast audience, provided a special kind of poet took it up seriously and was prepared to serve the varied apprenticeship it required. Prévert found himself in that position just when movies had become talkies [41], and in time achieved a striking unity of vision in original combinations of personalities, images and words. He did not believe in splitting film-making into strict areas of specialization: 'Le mot dialoguiste isolé du mot scénariste, c'est comme si en peinture on distinguait le type qui peint la campagne et celui qui peint les arbres, "l'arbriste"'[42].

We find the same organic intelligence at work in the visual and verbal organization of his poems. His natural dramatic talent brings his exuberant imagination under control and presents the poem as situation, dialogue and characters in action with the greatest economy of words. The poet himself rarely comments; he lets images and situations speak for themselves after careful selection and montage. He likes to start a poem *in medias res*, or with dialogue as in 'L'Orgue de Barbarie' (p. 46), 'Le Cancre' (p. 52), and 'Chasse à l'enfant' (p. 73). In other poems, significant objects are presented first:

> Un taxi s'arrête,
> des êtres humains descendent (p. 72)

Situation and object together set the stage for the action in 'Promenade de Picasso' (p. 118):

> Sur une assiette bien ronde en porcelaine réelle
> une pomme pose

Words suggesting location may introduce images and action with their auditory connotations, as in the first line of 'Complainte de Vincent' (p. 116):

> A Arles où roule le Rhône ...
> un homme de phosphore et de sang

Prévert's poems contain all types of film and make use of a wide variety of cinematographic techniques. We have a silent film in slow motion, each frame juxtaposed and carefully in focus, in 'Déjeuner du matin' (p. 61), or in 'Le Désespoir est assis sur un banc' (p. 81), while 'La Crosse en l'air' uses newsreel technique. 'Entrée Entrance' (p. 95), presents atmosphere and characters in the tradition of realistic cinema; 'Chanson pour les enfants l'hiver' (p. 41), 'L'Etoile de mer' (p. 45) or 'L'Ecole des Beaux-Arts' (p. 113), are inspired by cartoons. Prévert puts into words the magical effects of sudden **appearances** or **disappearances** and swift transformation proper to the cinema. The conjuring trick which, in a flash, changes one object or character into another, is verbally recorded in the last three poems mentioned. Take, for example, the metamorphosis of snowman into puddle (p. 41). Animation of character in the staccato repetition of sentences and actions—'galope, entre, s'asseoit'—leads to the magical climax of 'disparaît'. But this is as much exploitation of verbal pun as of visual image: the snowman was not a man, he was only animated for the space of a cartoon. But swift transformation is not always magical and humorous. It often conveys the absurd brutality of accidents, as in 'Chanson dans le sang' (p. 68):

> Dans la rue passe un vivant
> avec tout son sang dedans
> soudain le voilà mort
> et tout son sang est dehors

The editing device of the 'jump cut' compresses time and implies a relationship between what happens (which is not shown) and the person before and after the event:

> un petit garçon qui entre à l'école en pleurant
> un petit garçon qui sort de l'école en riant
>
> 'Inventaire' (p. 64)

Focusing consecutively on objects clearly placed in space can condense a love-story into three lines as in 'Alicante' (p. 91):

> Une orange sur la table
> Ta robe sur le tapis
> Et toi dans mon lit

In 'Le Fusillé' (p. 103) Prévert uses the 'jump cut' and visual antithesis to convey the brutality of the transformation of man in the fullness of living into a horrible, dead object, 'un paquet sanglant'. Swift change and 'tracking' are used in 'Chanson des escargots', (p. 48). We are shown travelling shots of the slow progress of the two snails going to the funeral of a dead leaf and a close-up of the characters: 'du crêpe autour des cornes'; another travelling shot: 'ils s'en vont', then a long shot of the autumn landscape fading out into the sudden transformation of spring time. Zooming and fade-in and out are associated in 'Paris at night' (p. 92). Darkness is momentarily dispelled by the light of the three matches, then 'visage, yeux, bouche' in turn are brought into focus, then fade out into night, memory and embrace.

In 'Arbres' (p. 51), a series of different camera movements and film techniques can be plotted. The poem starts with a close-up of trees which progressively fade out as 'les grilles des parcs réservés' come into focus; then 'mid shot' of the trees' fade-out; children zoom in; long panoramic shot of the city; zoom-in; back to the trees. 'Sables mouvants' (p. 92) is probably one of the finest examples of visual and verbal interplay. The fascination of love is rendered by superimposition of images dissolving and reappearing in magical combination. Two sets of images are associated in dynamic comparison: sea/sand/seaweed/waves equated respectively with: desire-pleasure/bed/woman/eyes. Slow-travelling shots underline the ebb and flow of desire; zoom-in on the dual image of seaweed-woman; final close-up of the eyes of the beloved/waves, and fade-out with 'pour m'y noyer'.

Contemporaneous with the black and white film, his vision tends, like it, to emphasize revealing contrast. It proves as adequate for the creation of atmosphere as for the depiction of inner conflict, and is eminently suitable for caricature and satire. Economy, dynamism and immediacy are the positive gains brought in by cinematographic techniques to Prévert's texts. However, it is possible that they would have remained excellent scripts and never been recognized as real 'poems' if Prévert had not been so superbly endowed with the power of synchronizing words and images in rhythmical combinations of sounds. The visual character of his work emphasizes the power of words and increases the hold they can have over people; but it remains verbal poetry. And though it exploits the technological resources of the modern world, it belongs to the oldest form of poetry, that of the oral tradition.

A popular poet in the oral tradition

A distinctive feature of Prévert's poetry is its uniquely 'oral' flavour. Prévert adopted the ordinary language of the Paris streets, the preoccupations of the average man, his simple joys and caustic humour, and made poetry for the men of his time. Born on the spur of the moment, often jotted down on the paper cloth of a restaurant table, meant to celebrate a brief moment of joy or to take a stand on a political issue, Prévert's texts are clearly intended for the consumer public of the mid-twentieth century: city people whose tempo of life is fast, people who cast a cursory glance at things, who have little time to read long texts and who have to make up their minds rapidly. No wonder his poems found an audience before they were even published. They were made up of words to be listened to and quickly memorized, with puns and wisecracks to make you laugh; set to music, they were passed on by word of mouth before being recorded and broadcast. Prévert never thought of his poetry as 'Literature' but composed:

> des poèmes de vive voix
> de la main à la main de gaieté de cœur . . .
> pas des poèmes . . .
> où le poète . . .
> se place soi-même tout seul arbitrairement en première ligne de
> ses catacombes mentales . . .
> donnant ainsi l'affligeant spectacle de l'homme affligé de
> l'affligeant et très banal complexe de supériorité [43].

He never set out to make a literary career, though he published his first satirical pamphlets in recognized literary magazines. He always hated literary posing, *gens de plume* and their cliques, and never missed a chance of making fun of intellectuals and critics. Prévert remained an inveterate talker all his life and anecdotes concerning his natural verbal exuberance are innumerable. Stimulated by company and a glass of wine he would ramble on relentlessly until all were splitting their sides. He was endowed with apparently contradictory talents often combined in the same piece; he could express his ideas in a condensed form—epigram, aphorism, pun—and unravel them in unending chains of associations. His contacts with the surrealists in the days of the rue du Château did much to stimulate free associations of words and images and gave some direction to his innate anarchistic tendencies. But it is to *Le Groupe Octobre* that he owes his talent for the striking formula. This group helped him to crystallize his vision of the world and gave him the incentive to express himself with such clarity that ordinary people would understand him. It is a measure of his genius that he adapted the sophisticated verbal techniques of the surrealists to the demands of 'Agit-Prop' [44] and created, into the bargain, poems, songs and sketches which are still said, sung and acted some forty years later.

Yet he cared so little for the written word that his first book would never have seen the light of day, had it not been for René Bertelé, a friend turned editor. To him, Prévert left the task of collecting his poems wherever he could find them, of giving them the shape they have on the printed page, of organizing their typographical appearance. The first edition of *Paroles* appeared in December 1945, and was followed a year or so later by a 'definitive' edition increased by sixteen more texts recovered from small magazines or sheet music. *Paroles* had an immediate success; it was printed several times in close succession and has remained the best-seller of contemporary French poetry ever since [45]. Its ready popularity was partly due to the oral quality of the poems and to the songs which were in great demand in the 'cellars' of St Germain des Prés. The cumulative effect of a series of five radio broadcasts in 1945, and a song recital given at the Salle Pleyel, helped launch the book.

The collections which followed *Paroles* maintained the character of his poetry even when he turned to collages and art criticism. 'Graffitis', short texts and long rambling poems continue to coexist in his last works and are still made of the familiar fabric of daily speech.

The oral character of his poetry is omnipresent: these are poems first and foremost to be said and heard. They take the form of familiar conversation rather than of formal dialogues; the questions, exclamations and interjections of spoken French are part of the web of his poetic language. Take for example:

questions:

Où vas-tu? ('Jour de fête', p. 43)

Et le père qu'est-ce qu'il fait le père?...
Qu'est-ce qu'il trouve le fils? ('Familiale', p. 62)

Qu'est-ce que c'est que ces hurlements?
('Chasse à l'enfant', p. 73)

Qui est là?
Personne ('On frappe', p. 91)

interjections:

Voyons
On ne... ('Jour de fête', p. 43)

Eh là
je vous arrête...
Bien sûr c'était un rêve...
Mais qu'est-ce que ça peut faire? ('Un Jour', p. 64)

The expression 'Et ta sœur?' becomes the title of a poem. He prefers to work in the present or the perfect tenses, often to express a sequence of actions in the near past: 'a glissé... a éclaté... a tracé', ('Sanguine' (p. 91)). A whole poem is made up of a listing of verbal expressions in the perfect tense imitating the relentless mechanical movement of the harvester in 'La Batteuse' (p. 70).

The natural tone of voice is frequently reproduced; in anger: 'Bandit! Voyou! Voleur! Chenapan!' ('Chasse à l'enfant' (p. 73)), 'Quand vous aurez fini de faire le pitre!' ('Page d'écriture' (p. 53)); as an appeal against punishment:

Oh! mon père!
Oh! ma mère!
Oh! grand oncle Sébastien! ('Jour de fête', p. 43)

Inflation of a syllable particular to public speech is even made to contribute a line: 'Répétons-le Messieurs!' ('Il ne faut pas...' (p. 79)).

The simplest expressions used daily in verbal exchanges become the fabric of a lyrical poem:

Quel jour sommes-nous
Nous sommes tous les jours
Mon amie ('Chanson', p. 87)

or

Je suis allé au marché . . .
Et j'ai acheté ('Pour toi mon amour', p. 93)

Prévert's grammar and syntax are mostly those of spoken French. He favours the tenses most frequently used in conversation; the familiar imperative used to give directions on public transport gives rise to a satirical poem, 'Le Contrôleur' (p. 108):

Allons allons
Pressons
Allons allons
Voyons pressons . . .
Soyez polis
Ne poussez pas.

It renders the child's urgent pleading to the lyre-bird in 'Page d'écriture': 'Joue avec moi oiseau' (p. 53), or the poet's bitter-sweet advice to the little girls in 'Chanson des sardinières':

Tournez tournez
petites filles
tournez autour des fabriques (p. 71)

and his urgent appeal for remembrance of past happiness:

Rappelle-toi Barbara . . .
N'oublie pas . . .
Rappelle-toi cela Barbara . . .
Et ne m'en veux pas si je te tutoie (p. 105)

Prévert's language is a collage of oral French culture. The poet weaves together clichés, proverbs, idioms, nursery rhymes, songs, fragments of prayers, slogans and quotations. His corrosive humour gradually restores their original power to words which had lost their identity in expressions worn out by usage or coloured by ideology, as he plays with vowels, consonants, syllables, and dissociates in his listings their various levels of meaning.

However, Prévert's word-games are rarely as innocent as in 'Les animaux ont des ennuis' (p. 45), or in the bilingual 'Chant Song' (p. 88). His puns, his intentional spoonerisms and malapropisms, are funny but deliberate, and make excellent satirical weapons. They never occur when he talks from the heart, in compassion, love or wonder. Punning and play on words are his ways of counteracting ideological double-dealing, which according to him, is constantly out to make man 'la triste proie d'une innombrable foule d'associations d'idées' (p. 118), and to shut him up in his 'boîte aux rêves cadenassée' (p. 128).

Playing with words also helps him to see through social masks and hunt out attempts to impress, suppress or conceal. Compare for example his dual attitude towards language in the two listings of 'Ces messieurs du Tout-Paris' (p. 49); or contrast the ordered and compassionate enumerations of 'Le soleil brille pour tout le monde' (p. 77), and that of 'Chanson dans le sang' (p. 68), with the mad listings in 'Inventaire' (pp. 62–4), and 'Tout s'en allait...' (p. 104). These last two could be seen as consecutive moments in a truthful chronicle of the last phase of the Third Republic. On the surface 'Inventaire' is just a humorous stock-taking, devised by the idiosyncratic shop assistant Prévert once was. Yet there is definite 'method in his madness'. Humans, animals, objects, well catalogued feelings and ideas are all lumped together; placed on the same level, they are devalued or revalued by juxtaposition. Prévert's devaluation of things prized for their age is systematic. Antique furniture named after the Bourbon kings of France, Henri II, Louis XV, Louis XVI, is devalued by juxtaposition with non-existent styles, created by the poet: 'un buffet Henri II, deux buffets Henri III, trois buffets Henri IV' (p. 63), and their assumed value is reduced to nil by putting next in the listing an odd drawer, a ball of string, two safety-pins. Social pretensions are similarly deflated by being placed side by side with junk in this frenetic stock-taking. Time measurements consecrated by faith or the fatherland are destroyed by fast inflation, expansion and rapid deflation of their numerical element: 'jour semaine mois année' into 'une minute une seconde'. The game can accommodate any variation, provided it fits in with Prévert's levelling intention [46].

Prévert's awareness of the absurd is no less acute than that of Ionesco, Vian, Sartre or Queneau, but he manages to infuse some optimism into his assessments, at least in 'Inventaire'. One principle of order runs right through this topsy-turvy world; racoons grow and multiply in a constant progression. Animal vitality persists when everything else is jumbled, thus leaving us once more with Prévert's message of confidence in the permanence of life in a world gone mad.

Refusal and acceptance

'Celui qui rouge de cœur' [47].

Prévert never stops denouncing systems and institutions – religious, economic or political – because they assign to men a fixed place in the existing order of things and do their best to keep them there. These old-established systems, Prévert says, ensure their own survival at the expense of the young and the weak, and are all closely allied in a joint enterprise of repression. He constantly lays the blame for them on elderly father-figures of the military type in particular. In 'Fêtes à souhaiter' (p. 110) he puts Stalin, de Gaulle, Fascist dictators and Napoleon into the same bracket; his graffiti of p. 99 all stress the megalomania of paternalism and its iron hand. In his poems on industrial work, or on war, Prévert adopts a circular form and chains of words linked by sound. Consider the end of 'Pater Noster' (p. 66) with its rhymes in 'Er' and nasalized 'ō', the prophetic chorus of the bad fairies (p. 71); or again the last lines of the extract from 'Le Soleil brille pour tout le monde...' (p. 77) and those of the extract from 'Le Cauchemar du chauffeur de taxi' (p. 72). But the best example of Prévert's rhetoric of protest is probably 'Familiale'. The last lines of the poem list the automatic actions, 'tricot guerre affaires', which have become cogwheels in a mechanism revolving faster and faster toward a senseless goal:

> les affaires la guerre le tricot la guerre
> les affaires les affaires et les affaires
> la vie avec le cimetière. (p. 62)

The irony of these final lines is all the more cruel, as 'Familiale' with its title and opening lines had in fact built up a picture of the perfect 'natural' order in a family circle. The association by sound of the words 'père mère affaires guerre cimetière', stresses the unnatural character of the 'natural' order. Fathers and mothers are meant to protect their offspring, yet in this poem, their activities have killed him.

This poem and others in sections II and IV date from the 1930s and clearly bear the stamp of 'Agit-Prop' (see n. 44) methods and ideology. They rely on the power of the spoken word to make a forceful impact on the mind and inspire action. Prévert's indictment of the capitalist system was prompted by the economic collapse which sent millions of unemployed into the streets [48]. Deeply sensitive to the plight of the workers, Prévert believed that their existence could and must be changed without recourse to war [49]. For writers of Prévert's generation, caught between the human wastage of the First World War and the mounting tide of Fascism in Italy, Germany and Spain, Communism seemed to offer a valid alternative to a capitalist system apparently unable to organize man's life on earth. Many went to Moscow and came back as Prévert did, with some misgivings as to the actual capacity of Communism to establish happiness for all. The totalitarian form it took was no more acceptable to the poet than capitalist imperialism [50]; though it seemed to be the best bulwark against the threat of war in the 1930s. At least *Le Groupe Octobre* could help bring about a popular front government in France to improve existing conditions of life.

The subject of war comes under scrutiny in general terms, with 'Le Contrôleur' (p. 108). The war in Abyssinia is evoked (p. 103), civil war in 'Chanson dans le sang' (p. 68), the war in France with 'Le Fusillé' (p. 103), 'L'Ordre Nouveau' (p. 107) and 'Barbara' (p. 105). The threat of atomic war is presented in the final lines of 'Tout s'en allait' (p. 104) and in 'Câble Confidentiel' (p. 109).

Throughout his life, Prévert maintained a dual attitude towards life and people, as uncompromising as that of 'Le Cancre' facing the teacher:

> Il dit non avec la tête
> mais il dit oui avec le coeur (p. 52)

Already as a child he knew what to do to preserve his integrity:

> Je connaissais le geste pour rester vivant
> Secouer la tête
> Pour dire non
> Secouer la tête pour ne pas laisser entrer les idées des gens...
> et sourire pour dire
> oui aux choses et aux êtres... [51]

As he grew up he never changed his basic formula, but rather refined it, becoming both the satirist of the Third and Fourth Republics and the poet of the audio-visual era. In *Choses et autres*, his last collection, we still find him reiterating his basic refusal of authority [52], while 'Enfance' unwittingly contains an explanation of his attitude. The narrative evokes the poet's first twelve years and reveals his constant antagonism to his paternal grandfather who appears as a nineteenth-century bourgeois figure from a wax-works collection. Apparently a staunch supporter of the monarchy, the Church and the forces of tradition, 'Auguste-le-Sévère' avoided the sun and liked the Alps and the company of priests; Prévert's father – who was born on the first day of the Third Republic – loved the sun of Provence, French wine, the theatre and the cinema. Jacques's sympathies were with his father, of course. And to his grandfather's values of 'discipline, hiérarchie, autorité', the child, and later the poet, opposed the republican motto of 'liberté, égalité, fraternité'. His problems and attitudes found echo in many a French family and it is not surprising that Prévert's contemporaries identified themselves with his protests and refusals. They appreciated his violent verbal outbursts, the more so as they could not afford to voice them directly themselves. If their children in turn are still finding them relevant some forty years later, it could be that French society as a whole is slow to come to terms with these problems or, more probably, that they are of a permanent nature.

Prévert's poems constitute an attack on authority in all its forms. For him, authority is always oppressive because it is exercised from above and without consultation. The individual is constantly presented as having to curb his personality and having to conform to the dictates of parents, teachers, priests, government, or army, who assume that age, custom, or an undefined 'intérêt supérieur' give them sufficient right to exercise authority. The basic institutions of society, school and the family, are shown as essentially repressive, always ready to enforce their conditioning in the name of education for: 'Tout condamné à vivre aura la tête bourrée (p. 39), and

> Cet enfant n'en fait qu'à sa tête
> Nous voulons qu'il en fasse à la nôtre. ('Jour de fête', p. 43)

Traditional schooling with folded arms and rote learning is repeatedly criticized by the adult poet who remembers the days of the dunce's cap (see poems on *Ecole* in Section I):

> ... on est assis toute la journée, on n'a pas le droit de bouger,
> on guette les heures, et on les écoute sonner.
> ('Paris, 1907', p. 54)

Almost from birth the child is caught up in the wheels of a world from which he cannot break free: 'On allait se coucher, le lendemain on se levait, ainsi tous les jours... on grandissait, on allait à la messe, on s'instruisait...' ('Souvenirs de famille', p. 55). The lists of names he is made to memorize are unrelated in his mind and unconnected to his immediate experience of life. He can only absorb a great medley of sacred dogmas learnt at catechism and the names of fictional characters, historical figures and places. His only defence against mechanization of mind and so many words is mental escape, as we are shown in 'Page d'écriture' (p. 53). The action takes place in the classroom of a primary school of the traditional type, during an elementary maths lesson; the teacher drums tables into the pupils' heads. The action also takes place in a child's mind and then extends to his classmates. It portrays the familiar occurrence of mental distraction, symbolized by a lyre-bird who comes in to sing to the child in the classroom. The child's attention slips quietly away into the real life of the senses, imagination and nature while the master's voice calls more and more uselessly for attention. The bird's song invades each child's mind and magically dissolves numbers, which slip away one by one. All man-made objects recover their elemental qualities in a cinematographic fade-out:

> les vitres redeviennent sable
> l'encre redevient eau
> les pupitres redeviennent arbres
> la craie redevient falaise
> le porte-plume redevient oiseau.

Real life cannot be found at school, only 'En sortant de l'école' (p. 57). This poem recaptures the boundless anticipation of children as they rush out of school and set their imaginations free. Using the simplest vocabulary and avoiding the structured ingredients of logical thought, the poet embarks his class-load of children in a gilded coach drawn by a big engine which takes them all around the world. They meet all the marvels of creation in a grand surrealist pageant; the sea with its shells, its fragrant islands, glorious wrecks and smoked salmon. They meet 'the moon and stars bound for Japan in a sailing ship', and look for sea-eggs 'in a little submarine'. Back on the railway track they meet a house running away all round the world with winter chasing it. They run over winter and the house stops running. Spring, who was the signalman, bows to them and the flowers all over the earth suddenly start to grow. So the train has to stop for fear of hurting them and they come back on foot around the earth and sea, the sun, the moon and stars, 'à pied à cheval en voiture et en bateau à voiles'.

Prévert extends the boundless freedom and joy the children find in their imaginative journey – everyone, he says, can share in the happiness of living on earth:

> Avec toutes les merveilles du monde
> Qui sont là
> Simplement sur la terre
> Offertes à tout le monde . . . ('Pater Noster', p. 66)

His concept of happiness is very much of this world and accessible to all with a true love of freedom. He does not need, like so many utopian writers, to invent a new world in a far-away place with complicated details concerning its organization. He does not need to conjure up new species or ideal creatures to people it, like Swift's Houyhnhnms in *Gulliver's Travels*. His new world is already here around us with a friendly sun and moon keeping watch in turn over a world where everything and everyone simply exists, as in 'La Nouvelle Saison'.

Animals and humans talk to each other in his fable-songs, a modern and optimistic equivalent of La Fontaine's *Fables*. Some unusual animals inhabit this world; there is a blue-eyed whale for example, a talking horse, a number of birds, two snails and a few racoons [53]. They are all endowed with a natural instinctive wisdom which they pass on to humans. Birds in particular acquire a symbolical value in his poems; beautiful and free, they own nothing yet create so much out of nothing. They are a challenge to the acquisitive instincts of man and must be admired and emulated because

> les oiseaux donnent l'exemple
> l'exemple comme il faut...
> exemple les plumes les ailes le vol des oiseaux
> exemple le nid les voyages et les chants des oiseaux
> ('Au hasard des oiseaux', p. 82)

In his fables, Prévert constantly praises the eternal cycle of living things, the benevolent cooperation of sun and moon, the natural cycle of life, death and renewal of life (p. 48). He restores optimism through a pagan acceptance of our physical limitations and praises our sensual appreciation of the world.

Positive human relationships in Prévert's poetry are guided by friendship, a concept wide enough to include all creatures. It is the one positive value which the poet offers without restriction. He himself seems to have been endowed with the genuine gift of making and retaining friends, generously helping them in their lives and careers, yet always respectful of their freedom. As a genuine individualist, he fostered in others the sense of their unique individuality, writing parts made to measure for actors or singers to bring out their particular traits. People's ways of being different always delighted him, while conformity made him cringe.

His love poetry is remarkably original and generous. His spontaneous warmth renews the inspiration and updates hackneyed expressions in a humorous way. He writes perceptively of possessive love which pretends to be generous, but really aims at enslaving the loved one in 'Pour toi mon amour' (p. 93) or 'Le Lézard' (p. 92). He knows that man's possessive instincts must constantly be kept in check for fear that they may devour what they want to protect:

> Mais ton ombre
> sur le mur
> guette tous les instants
> de mes jours
> et mon ombre à moi
> fait de même

épiant ta liberté
Et pourtant je t'aime
et tu m'aimes ('Les Ombres', p. 94)

Aware of the danger shadowing their bliss, Prévert's lovers can taste eternity in their embrace: 'L'amour éternité étreinte' (p. 85), in 'Le Jardin' (p. 88) and 'Chanson' (p. 87), 'On frappe' and 'Paris at night' (p. 92).

Prévert's love poetry is unashamedly sensual, sex being the greatest pleasure, to be treasured and enjoyed as a 'doux présent du présent' ('Alicante' and 'Sanguine', pp. 90–1). Even the loss of a lover does not endanger the ever-renewed vitality of love, for:

La vie est une cerise
La mort est un noyau
L'amour un cerisier. ('Chanson du mois de mai', p. 97)

Authenticity of being, friendship, love, are the positive values Prévert proposes in his multiple approach to reality. All are based on the acceptance of mobility and flexibility, and on the understanding of organic change as a positive force in all aspects of human life. 'To have and to hold' in personal as well as in social and political relationships can lead to a world of fixed and rigid conventions, where imitation and mechanical repetition, instead of preserving life, kill it.

Prévert and the arts

The visual arts always had a great appeal for Prévert and their importance increased consistently in his life and writings as he moved away from the cinema. This attraction took many forms which all, in their particular way, sharpened his response to visual stimuli and left noticeable traces in his poetry.

Prévert could neither draw nor paint but he produced a large number of collages over the years. Only a few are available in published form, in *Fatras*, 1966, and in *Images*, 1974. Some of them have an immediate lyrical quality, but most show the same satirical attitude towards visual material as Prévert had towards language. Based on powerful contrasts between widely divergent elements, they often use a traditional painting to provide a background for irrelevant cut-outs. Out of chronology, of style, of context, they produce the same jarring effect as his literary collages.

His collaboration with many photographers has given rise to delightful children's books and to two collections of poems inspired by fine black and white photos taken in Paris and London. Texts and photos reinforce each other for total effect, though the poems are sufficiently graphic to stand alone without the photos. Such is the case with 'Suivez le guide' (p. 78), though the poem has been directly inspired by the realistic photo of an elderly man in workman's clothing and clogs splattered with plaster, sitting on a Paris bench on the Boulevard Sébastopol. 'Un jour non loin du Palais de Justice' (pp. 64–6), is in keeping with its disturbing conclusion, when visualized in its pictorial setting of the Pont au Change. The foreground image of a street-vendor's cart laden with freshly cut flowers acquires a greater symbolic value against the blurred atmosphere of the Marché aux Fleurs, shadowed as it is by the stern façade of the Palais de Justice looming up in the distance. Remarks of a similar nature could be made about the poems and photos contained in *Charmes de Londres*, a city Prévert loved almost as much as his native Paris.

Prévert had many contacts with living painters and though he was aware of the art of the past, it was mostly modern art which inspired him. He made close friendships with some of the masters of his time—Picasso and Miró in particular—and collaborated with Max Ernst, Miró and Calder in limited editions illustrated with original lithographs [54]. He never refused to write a poetic preface to a catalogue introducing the work of younger painters, and artists of all nationalities—Asger Jorn, Aragne, Nicolas de Staël, Recalcati, Fromanger, Cornelius Postma and many others found him responsive to their individual views of reality. Prévert's writings on the arts reveal an original exploration of the link between poetry and painting, which we shall examine in greater detail in the poems of Section V. For a poet to be interested in modern art is not unique; indeed, the reciprocal influence that poets and painters have had on one another is a characteristic of modern French culture. With the advent of Cubism and Orphism in the early 1900s, the ancient supremacy of poets was challenged and the most advanced poets—Apollinaire, Max Jacob, Pierre Reverdy, Blaise Cendrars—came to regard painters as their leaders in the arts. After the First World

War, with Dadaism and Surrealism, the visual arts assumed an even greater importance for poets, who worked in closer association with painters in a systematic exploration of the unconscious. United by the 'cult of the stupefying image' [55], they searched for mental images whether they expressed themselves in verbal or in graphic form. They believed in the supreme power of the imagination to bring about an effective revolution in man's mind and social and political thought.

Prévert's writings about painting show clearly how much he shares these surrealist beliefs. The painters he praises are among those who have shown qualities of visionary imagination in the face of public mockery or accusations of madness: Blake [56], Henri Rousseau, Van Gogh, Picasso and Miró. Prévert's aesthetic sense is eclectic since he believes that 'la beauté s'appelle plurielle' (p. 111). Accordingly, his poems about paintings and painters are more varied in length, tone and style than his other poems. They are genuine *transpositions d'art*, depicting with linguistic and stylistic devices the particular atmosphere of a painter's work. Each poem creates its own most suitable form. One of the most effective pieces is 'Complainte de Vincent' (p. 116), a poem to the painter Vincent Van Gogh (1853–90), who is presented here in his most creative period, only two years before his tragic suicide. A powerful poem on genius and madness, it captures Van Gogh's frenzied use of pure colours and expresses his predicament in a selective use of sounds, guttural 'r' in particular, and repetition of words, 'soleil', 'hurler', 'tourner'. The outline of the poem is based on fact. Van Gogh settled in Arles, a town on the Rhône river, in February 1888. He rented his yellow house, and under the dual influence of the fierce sun and wind of Provence painted furiously in a flamboyant style and in vivid colours. In a fit of madness brought on by overwork, undernourishment and emotional stress, he cut off his ear on Christmas Eve of that same year, after a quarrel with his friend Gauguin. He took it to Rachel, a young prostitute who had befriended him and listened to him. His act of self-mutilation has been interpreted as an attempt to stop the auditory hallucinations which plagued him. They were caused, Prévert says, by lost affections, the inhuman call of art, and the echo of cosmic forces symbolized by 'murmures de la mer'. The sun, glorified in his pictures in many forms, is a reflection of his passionate temperament and of his compulsive genius. To render these pressures, Prévert uses direct and indirect references to the sun, to the colours red and yellow. The unbearable violence of 'jaune' is suggested by the adjective 'strident', which stresses Vincent's auditory hallucination. 'Le soleil hurlant' brings this transference to a climax while 'tourne en rond' effectively ties the beginning of the poem to the end by sound and visual image. Vincent is trapped in a continually revolving ball of fire.

In 'Promenade de Picasso' (p. 118), we find Prévert in a humorous mood ready to satirize academic painters and praise Picasso. This is one of three poems dedicated to the painter late in 1944, at the time of the first post-war *Salon d'Automne* in Paris [57]. Picasso's exhibits created an outcry and some visitors went as far as to take down his paintings; their ideas about his 'realism' obviously did not coincide with Prévert's: 'Picasso veut être vrai, avant tout... Plus qu'aucun autre peintre surnommé "peintre de la réalité", Picasso réagit à ce qui l'entoure. Chacune de ses œuvres est une réponse à quelque chose qu'il a vu, senti, qui l'a surpris et ému...' [58]. The popular phrase 'c'est du Picasso', to describe a painting in which the subject is beyond recognition, was coined at that time. Prévert takes a firm stand on this issue: he claims that Picasso is a genuine realist, and sets out to prove his point. Refraining from direct praise or a vindictive tone, he uses play on words and humour to do so. He presents us with the 'moving' adventures of a still-life; the apple, endowed for the occasion with a wilful feminine personality, resists an academic painter's attempts to seize 'her' image and fix it 'realistically' on canvas. She revolves 'sournoisement sur elle-même' or seems to under different lights, and puts on a variety of disguises which further remove her from the poor painter's grasp. He falls prey to associations of ideas which only lead him to confusion; this is an occasion for Prévert to unravel a chain of words or expressions associated with the word 'pomme' in French. The reality of the apple remains unattainable and the poor painter, dizzy with images, falls asleep. Picasso comes upon the scene and puts things right by eating the apple; when the painter wakes up, the subject and props of his painting have disappeared and he is left to face the problem of reality.

Prévert never departs from his humorous approach, yet he manages to create a deeply imaginative poem on the metaphorical level.

He adopts a circular structure, but the circle is broken at the end of the poem. He plays with the graphic form of circular objects: the apple, the plates, the rounded shapes of associated objects. On the metaphoric level he suggests that while the traditional painter aligns himself with art and appearance, Picasso chooses nature and reality; hence the traditionalist is vainly trying to catch reality through painting the physical appearance of the apple, which is only one facet of the apple's being. At the end of the poem we leave the figurative level to return to the literal and concrete image of 'apple pips', as Picasso has eaten the apple. On a symbolic level, he has achieved unity with reality in physically devouring the form, a relationship denied the *peintre de la réalité* in his studio. Prévert suggests that we need poets and artists (like Picasso) to tell us about truth and reality, even though we believe that we can see it.

'Dans ,ce temps-là' (p. 119), was published with reproductions from a fifteenth-century illuminated manuscript of Boccaccio's *Decameron* and several washes by Chagall illustrating the same stories. This unusual combination of images from very distant eras inspired Prévert's meditation on the actuality and timelessness of art.

'En ce temps-là' is the ritual phrase used to introduce a reading from the Gospel at Mass. It refers to the time when Jesus lived in Palestine and accomplished miracles. Prévert is obviously replacing the allusion to the sacred time of Christ's life on earth by the notion of timelessness of artistic achievement and tells his parables on the 'magic' of art. The theme is established in the first two sentences by a chain of unusual associations of ordinary expressions. They recur intermittently throughout the long text like musical motifs, sometimes expanding in further associations, then dying out only to reappear with renewed force.

The basic structure of the whole text is organized on the opposition of two expressions involving 'tourner', Prévert's favourite verb. 'Tourne comme un moulin' is contradicted by 'tourne dans le sens contraire des aiguilles d'une montre'. As Prévert will show, the contradiction is only apparent. Painters keep turning out their multicoloured pictures endlessly in every epoch, yet they do not age; they all belong to the timelessness of art, and deny the categorizing judgements of art critics. The third paragraph on p. 119 is a satirical passage directed at the critics' 'très savante et très dialectique ménagerie'. Prévert mocks their intellectual interpretations of the artist's creative work; their 'educated ignorance' only reveals a real lack of understanding however much they may have learnt about art. With 'Et c'est pourquoi au Moyen-Age...' (p. 120), Prévert gives a poetic evocation of Chagall's world of colours and images based on realistic allusions to his paintings.

Then, with 'Le verre blanc porte bonheur' (p. 121), Prévert resumes his meditation on time, art and truth in the familiar language of a popular song. Sound and word play punctuate his chain of associations and endow his serious theme with lilting humour. Note the sound play in 'verre/univers', 'rouge/bouge', and the repetitions of nasalized sounds in the first four lines (blanc, quand, rempli, dedans) and in ll. 5–8: 'temps', 'compère/qu'on perd', playing with homonyms. The 'eau' sound comes in again with 'l'eau d'ici/ l'au-delà'. Prévert coins the first phrase on the model of the common phrase 'de-ci, de-là' to lead to 'l'au-delà': the hereafter, the next world. The idea of falling into a well is brought in by 'l'eau d'ici' and allows the poet to use the image of truth found in a well.

Then he turns to a free evocation of his favourite paintings, listing them without consideration for chronology or style, true to his stated theme.

'Oasis Miró' and 'Miroir Miró' are the shortest poems in a sequence of nine published by Editions Maeght, in 1956, in a book entitled *Miró* and illustrated with reproductions of the artist's work. One original lithograph was made jointly by Miró, Prévert and Georges Ribemont-Dessaignes, each in his own graphic style. Prévert, for his part, scattered naïve little men, birds and dogs throughout Ribemont-Dessaignes's realistic etchings of olive trees, and signed 'Jacques Rêve Vert'. An echo of this may possibly be heard in the fourth line of 'Oasis Miró'... 'Vert Vert'.

These poems cannot be fully appreciated without some acquaintance with Miró's paintings. The passing allusions to the poetic titles given by the painter to his canvases are taken up in Prévert's parallel constructions in words and images. In 'Miroir Miró' a play on Miró's name helps him to reassemble the splintered images of the painter's mental and emotional world. Surging from the unconscious, they uncover a new cosmic order in their unexpected juxtaposition; thanks to Prévert's affinity with Miró's style, they impress themselves on the reader's mind with great lyrical force. The titles of these two poems indicate essential aspects of the painter's inspiration and magnify Miró's simplified characters and colours.

In 'Varengeville' (1968), Prévert associates his love of the sea with his understanding of Braque's later work. In these extracts from a longer text illustrating reproductions of Braque's seascapes, Prévert joins with the painter in a contemplation of the 'mer océane', the severe, green, ocean-like Manche known as the English Channel. This tribute to Braque, who had died in August 1963, does not mention his important role in the Cubist aesthetic revolution but stresses the painter's understanding of land and sea around his home at Varengeville, a village near Dieppe on the coast of Normandy. Close reference is made to the titles and colours most often used to mirror the peace and permanence of nature in Braque's later work.

Toward the end of his life, Prévert abandoned both Paris and the Mediterranean to retire to Omonville-la-petite, a tiny village in the Cotentin, not far from the 'mer-océane'. It may be that, like Braque in his paintings, he was trying to find a serene understanding of nature in the contemplation of land and sea before he died.

NOTES TO THE INTRODUCTION

1 'Enfance' published in the weekly magazine *Elle* from 7 September to 5 October 1959 reprinted in *Choses et autres*, Paris: Gallimard, 1972. See 'Paris 1907, Rue de Vaugirard', p. 54.
2 A charitable organization supported by the Church to provide help for the needy.
3 For example, 'Enfant sous la Troisième...', pp. 128–9, his films *Le Jour se lève (1939), Aubervilliers, La Seine a rencontré Paris, Paris la belle,* etc.
4 Prévert in *Hebdromadaires* (p. 25), Paris: Guy Authier, 1972.
5 Many anecdotes concerning Prévert, Tanguy and their associates are to be found in Marcel Duhamel's *Raconte pas ta vie*, Paris: Mercure de France, 1972. (Tanguy died in 1955 and Duhamel in 1977, only a month before the poet.)
6 Prévert had married Simone Dienne, a childhood friend. They separated in the 1930s. He married Janine at the end of the war. Their only daughter, Michelle, was born in 1946.
7 *Raconte pas ta vie*, op cit., p. 168. Also *Hebdromadaires*, p. 169 and André Thirion, *Révolutionnaires sans révolution*, Paris: Laffont, 1972.
8 Pierre Prévert recovered *Paris-Express* in the Studios de Billancourt archives and, combining it with new shots in colour, created the film *Paris la belle* in 1959.
9 *Transition 18*, an international quarterly for creative experiment, November 1929. 'Un peu de tenue ou l'Histoire de Lamantin' (fragment) pp. 195–6.
10 See 'Souvenirs de famille', p. 55 (extract). The two poets were to collaborate several times during their career in works designed for the radio (1950–1), or in books (see bibliography).

11 *Commerce* XXXVIII, pp. 41–61, quarterly pamphlets published by Paul Valéry. Prévert's satire followed poems by Claudel. See p. 77. The extract 'Le Soleil brille pour tout le monde...' comes at the end of the pamphlet. It is a listing of the hard jobs which working people had to do in pre-Social Security times.
12 Known as the FTOF, it supported many local theatre groups in the 1930s, most of them short-lived.
13 *Actualités*, in particular: *Vive la presse*, May 1932, *L'Avènement d'Hitler*, January 1933, *Actualités*, 1934, *La grande loterie du bleu horizon...*, *Actualités*, 1935 and 1936 etc. Some excerpts of these and *choeurs parlés* are quoted in Michel Fauré, *Le Groupe Octobre*, Paris: Christian Bourgois, 1977.
14 Among the most famous *choeurs parlés*: 'Citroën', March 1933, 'Le temps des noyaux', 1934 in *Paroles*, and '14 Juillet 1934'.
15 See Revue *Premier Plan*, No. 14, November 1960 and *Le Groupe Octobre*, 1977.
16 *Image et son*, No. 189, December 1965, pp. 67–8.
17 See 'Familiale' (p. 62), 'Chasse à l'enfant' (p. 73), 'L'orgue de Barbarie' (p. 46).
18 See *Premier plan*, *Image et son* and Gérard Guillot's book *Les Prévert*, Paris: Seghers, 1966.
19 The two songs from this film produced in 1942 are printed on pp. 92 and 93.
20 *Les Enfants du paradis* (1943–4), a long film in two episodes, is based on the lives of three nineteenth-century historical figures: the mime Debureau, the actor Frédéric Lemaître and Lacenaire, a famous criminal whom Prévert found most fascinating. In the nineteenth century *le paradis* referred to the cheapest seats in the theatre. 'Les enfants du paradis' are the popular audience sitting in 'the gods' and also the actors.
21 *Rendez-vous*, to Kosma's music, choreography by Roland Petit, with a stage curtain by Picasso and photographic scenery by Brassaï.
22 *Baptiste*, a six-part pantomime inspired by the film *Les Enfants du paradis*, was presented by the Renault-Barrault company.
23 See bibliography.
24 *Le Petit Soldat*, produced by Paul Grimault 1947, *La Bergère et le ramoneur*, 1950–3, *La Faim du monde*, 1958.

25 Michel de Ré produced *En Famille*, October 1947; *Branle-bas de combat*, 1950.
26 Adaptations of *Le Dîner de têtes*, June 1951, *La Famille tuyau de poêle*, 1954. This cabaret theatre was under the artistic management of his brother Pierre.
27 Agnès Capri, Marianne Oswald, Germaine Montéro, Les frères Marc had sung some of them in the 1930s. After the Liberation, Juliette Gréco, the muse of the existentialists in the cellars of St Germain des Prés, immortalized 'Les feuilles mortes' (known in English as 'Autumn Leaves') and 'Barbara' (p. 105). Yves Montand made a success of the love songs (pp. 91, 92, 93) and the four Frères Jacques gave the best vocal and dramatic renderings of his humorous songs (pp. 46, 48, 53, 57, 62).
28 He wrote the songs and commentaries for a film produced by Eli Lotar on *Aubervilliers*, a poverty-stricken district of Paris. See 'Chanson de l'eau' (p. 74). He adapted Victor Hugo's *Notre-Dame de Paris* in 1956 for Jean Delannoy. In 1957 he wrote a poem-commentary for Joris Ivens's film *La Seine a rencontré Paris*, in 1958 the commentary for Pierre's film *Paris mange son pain* and in 1959 another commentary for *Les Primitifs du XIIIe.*
29 For the RTF 'Encore une fois sur le fleuve' 1947, a lyrical poem to Kosma's music and 'Bonne Nuit capitaine' 1948. His text *Transcendance*, later printed in *Spectacle*, 1951, was censured by RTF in 1949, but *Le Métro fantôme* was produced in November 1951.
30 In *Spectacle*, 1951.
31 *La Pluie et le beau temps* (1955) and *Lumières d'hommes* containing poems written at Ibiza in the Balearic Islands in 1931.
32 *Grand bal du printemps*, 1951, *Charmes de Londres*, 1952.
33 In 1957 at the Galerie Maeght; some of them were printed in *Fatras*, 1966.
34 Consult pp. 20–1 of the introduction on Prévert and the visual arts, Section V and the notes on that section.
35 Television: 1964, *Le petit Claus et le grand Claus*; 1965, *La Maison du passeur;* 1966, *A la belle étoile.*
36 Title of his collage in *Images*, Filipacchi, 1973.
37 *Le Monde*, weekly selection 7–13 April 1977. Articles respectively by François Bott, Alain Bosquet, Jacques Siclier, Etiemble,

translated in *The Guardian* of the same week.

38 A clear sign of his pervasive influence can be found in the many *Spectacles Prévert* and Prévert exhibitions produced by groups, both amateur and professional, in café-theatres and *Maisons des Jeunes*, while his name has been given to several *Maisons de la Culture*. Reprints of his earlier books continue to sell well.

39 Jean-Georges Auriol, 'Whither French Cinema', *Transition* No. 15, February 1929, p. 257.

40 *Hebdromadaires*, p. 26.

41 The first French spoken feature film was produced in October 1929.

42 *Image et son* No. 189, December 1965, p. 11.

43 *Histoires*, 'C'est à St Paul de Vence', p. 183. These words refer in fact to his friend André Verdet.

44 Short for 'Agitation and Propaganda', a very primitive form of theatre which began in Russia after the Revolution as a means of communicating news to an illiterate population. The first regular 'Agit-Prop' troupe were the 'Blue Shirts' founded in 1923 in Moscow at the National Institute of Journalists. In Germany between 1919 and 1923 there were also workers' theatre-groups specializing in *choeurs parlés* (*Sprechchöre*); by 1928 the 'Agit-Prop' movement had spread in Germany and by the 1930s into France and England.

45 A million copies were sold between 1946 and 1969. *Cahiers Pédagogiques*, May–June 1970; *L'Express*, 18–24 April 1977, mentions 1,800,000 copies.

46 The song version of 'Inventaire' is partly different. (See Prévert-Kosma, *50 chansons*, Paris: Enoch & Cie, 1976, p. 122.) The Frères Jacques interpretation of this piece is remarkably perceptive.

47 *Dictionnaire abrégé du surréalisme*, A. Breton and Paul Eluard, 1938. Reprinted in *Oeuvres Complètes*, P. Eluard, Vol. I, Paris: Pléiade.

48 'La Grasse Matinée', p. 75.

49 'Chanson des sardinières', p. 71; 'Chanson de l'eau', p. 74; 'Le Soleil brille', p. 77; 'Suivez le guide', p. 78; 'Au hasard des oiseaux', p. 82.

50 *Raconte pas ta vie*, p. 163. ' "M'inscrire au Parti? Moi, je veux

bien". Puis un peu mélancolique, il ajoute: "On me mettra dans une *cellule*"... *L'Image des barreaux* s'impose si manifestement que personne ne peut garder son sérieux,' *Le Groupe Octobre*, p. 205. 'Au départ, sur le bateau, on a voulu nous faire signer une adresse au camarade Staline. Alors Jacques a dit: "Ecoutez, on sait écrire; ... Nous sommes très heureux d'être venus ici, mais ce rapport, nous pouvons l'établir nous-mêmes" ' (Raymond Bussières).

51 In 'Maintenant j'ai grandi', *La pluie et le beau temps*.

52 In such poems as 'Malgré moi', 'J'ai toujours été intact de Dieu'.

53 In 'Chasse à la baleine' and 'Histoire de cheval' in *Paroles*; 'Chanson des escargots', p. 48 and 'Inventaire', p. 62.

54 Picasso-Prévert, *Diurnes*, Paris: Editions Berggruen, 1962. Joan Miró-Prévert, *Adonides*, Paris: Maeght. Max Ernst-Prévert, *Les chiens ont soif*, Paris: Au pont des Arts, 1964. A. Calder-Prévert, *Fêtes*, Paris: Maeght, 1971.

55 Aragon, *Le paysan de Paris.* 'Le vice appelé "Surréalisme" est l'emploi déréglé et passionnel de *la stupéfiante image*, pour elle-même et pour ce qu'elle entraîne, dans le domaine de la représentation de perturbations imprévisibles et de métamorphoses', quoted in J.H. Matthews, *French Surrealist Poetry*, London: University of London Press, 1966, p. 45.

56 'Noces et banquets', *Paroles*.

57 The other two are 'Lanterne magique de Picasso', *Paroles*, and 'Eaux fortes de Picasso', *Spectacle.* Picasso exhibited seventy-four paintings and five bronze statues.

58 Brassaï, 'Conversations avec Picasso', *Idées*, NRF, 1964, pp. 86–7.

SELECT BIBLIOGRAPHY

All the works listed below are published by Gallimard in *Le Point du Jour*, NRF and in Collection Folio unless otherwise stated. Most have been reprinted several times.

Paroles, 1945, revised 1947.

Histoires (with poems by André Verdet), Editions du Pré-aux-Clercs, 1946.

Spectacle, 1949.

Grand bal du printemps, 1951 and *Charmes de Londres*, 1952, both with photographs by Izis, La Guilde du Livre, Lausanne; texts reprinted 1976 in Collection Blanche and Folio, Gallimard.

La pluie et le beau temps, 1955.

Lumières d'homme, Paris: Les Editions Gautier-Languereau, 1955.

Miró, in collaboration with Georges Ribemont-Dessaignes, Paris: Maeght, 1956.

Images, with 19 collages presented by René Bertelé, Paris: Maeght, 1957.

Diurnes, with *cut-outs* by Picasso and photos by André Villiers, Paris: Editions Berggruen, 1962.

Histoires et d'autres histoires, 1963.

Fatras, with fifty-seven picture-compositions by the author, 1966.

Arbres, with etchings by Ribemont-Dessaignes, Editions de la Galerie d'Orsay, 1968; reprinted by Gallimard, 1976.

Imaginaires, Collection Les Sentiers de la Création (text and some collages), Geneva: Skira, 1970.

Fromanger (Preface to an exhibition catalogue), Paris: Editions Georges Fall, 1971.

Choses et Autres, 1972.

Hebdromadaires, in collaboration with André Pozner (taped interviews with Prévert), Paris: Guy Authier, 1972.

Varengeville, with reproductions of Braque's paintings, Paris: Maeght, 1968, reprinted 1976.

Images de Jacques Prévert, with fifty-three picture-compositions and introduction by René Bertelé, Paris: Editions Filipacchi, 1974.

Soleil de nuit, 1980.

Children's books

Le petit lion, photographs by Ylla, Paris: Arts et Métiers graphiques, 1947.

Contes pour enfants pas sages, illustrated by Elsa Henriquez; Le Pré aux clercs, 1947, and Folio Junior No. 21, Paris: Gallimard, 1977.

Des bêtes, 1950, with photographs by Ylla.

Bim le petit âne, photographs by Albert Lamorisse, 1952. Reprinted Paris: L'Ecole des Loisirs, 1976.

L'opéra de la lune, illustrated by Jacqueline Duhème, with music by Christiane Verger, Paris: Editions G.P., 1974. (Reprint of an earlier edition.)

Guignol, illustrated by Elsa Henriquez, Lausanne: La Guilde du Livre, 1952, Enfantimages, Gallimard, 1978.

Lettre des îles Baladar, illustrated by André François, 1952, reprinted in Folio Junior, 1978.

Records and music

A collection of fifty *Chansons* by Prévert, music by Joseph Kosma, was published in 1976 by Editions Enoch & Cie, Les Presses de l'Ile de France. Piano accompaniment is not available in this pocket edition but can be obtained at the same publishers with the 1947 edition of two collections of Prévert's songs entitled *21 Chansons* and *d'Autres Chansons*. There is no collection of the music written by other composers to Prévert's texts.

Many singers have sung his poems over the years. One can only recommend the most famous interpretations, in particular Les Frères Jacques, Yves Montand, Cora Vaucaire, Jacques Douai,

Mouloudji, Juliette Greco, Serge Reggiani, Sebastian Marotto et Zette.

Jacques Prévert dit 'Paroles' (GMS disc 7126) offers twenty texts read by the poet himself to a guitar accompaniment by his friend Henri Crolla.

FILM SCRIPTS

A few Prévert scripts and dialogues have been published in *L'Avant-Scène Cinéma*; other extracts, photographs and interviews can be found in the magazine *Image et Son* No. 189, December 1965, special number on *Les Frères Prévert*. A list of films and a bibliography can be found in the magazine *Premier Plan* No. 14, November 1960 and in Gérard Guillot's book, *Les Prévert*, Paris: Seghers, 1966.

The complete text and photo strip of the following films were published in *Bibliothèque des Classiques du Cinéma*, *Balland* in 1974: *Drôle de drame*, *Les Visiteurs du Soir*, *Les Enfants du paradis*.

A short colour film, *Jacques Prévert raconté par ses amis*, was made in 1976 on Prévert's personality and inspiration by Films Jean Desvilles.

A SELECTION OF CRITICAL WORKS ON JACQUES PRÉVERT

Andrée Bergens, *Prévert*, Paris: Editions Universitaires, Classiques du XXe siècle, 1969. An attempt to place Prévert's work within the context of the literary and philosophical production of his time.

Michel Fauré, *Le Groupe Octobre*, Paris: Christian Bourgois éditeur, 1977. The most complete study of Prévert's involvement with *théâtre engagé* in the 1930s; contains some of his unpublished sketches and playlets for the Groupe.

Anne Hyde Greet, *Jacques Prévert's word games*, Berkeley University Press, 1968.

Arnaud Laster, *Paroles-Prévert*, Collection Profil d'une œuvre, Paris: Hatier, 1972. A thematic study.

Christiane Mortelier, *Paroles de Jacques Prévert*, Collection Lire Aujourd'hui, Paris: Hachette, 1976. Contains a critical essay and the analysis of five poems from *Paroles*.

Among the innumerable articles on Prévert's work, Régis Boyer, 'Mots et jeux de mots chez Prévert, Queneau, Vian, Ionesco', *Studia neophilologica* Vol. 40, 1968, pp. 317–58, analyses the techniques of word play, giving many examples. A full textual commentary on *Promenade de Picasso* may be found in *Le Français dans le Monde* No. 112, April 1975.

ANTHOLOGIE PREVERT

Ministère de Ludique-Action-Publique

Art. I:

L'enfant n'a pas de contrat, il n'a pas signé son acte de naissance. Il est libre de refuser tôt ou tard l'âge qu'on lui donne et d'en choisir un autre, d'en changer selon ses désirs, comme de le garder le temps qu'il lui plaît.

(Choses et autres)

I
ENFANCE ET ECOLE

L'Education nationale

Tout condamné à vivre aura la tête bourrée.

(Choses et autres)

Chanson pour les enfants l'hiver

Dans la nuit de l'hiver
galope un grand homme blanc
galope un grand homme blanc

C'est un bonhomme de neige
avec une pipe en bois
un grand bonhomme de neige
poursuivi par le froid

Il arrive au village
Il arrive au village
voyant de la lumière
le voilà rassuré

Dans une petite maison
Il entre sans frapper
Dans une petite maison
il entre sans frapper
et pour se réchauffer
et pour se réchauffer
s'asseoit sur le poêle rouge
et d'un coup disparaît
ne laissant que sa pipe
au milieu d'une flaque d'eau
ne laissant que sa pipe
et puis son vieux chapeau...

Le Chat et l'oiseau

Un village écoute désolé
Le chant d'un oiseau blessé
C'est le seul oiseau du village
Et c'est le seul chat du village
Qui l'a à moitié dévoré

Et l'oiseau cesse de chanter
Le chat cesse de ronronner
Et de se lécher le museau
Et le village fait à l'oiseau
De merveilleuses funérailles
Et le chat qui est invité
Marche derrière le petit cercueil de paille
Où l'oiseau mort est allongé
Porté par une petite fille
Qui n'arrête pas de pleurer
Si j'avais su que cela te fasse tant de peine
Lui dit le chat
Je l'aurais mangé tout entier
Et puis je t'aurais raconté
Que je l'avais vu s'envoler
S'envoler jusqu'au bout du monde
Là-bas où c'est tellement loin
Que jamais on n'en revient
Tu aurais eu moins de chagrin
Simplement de la tristesse et des regrets

Il ne faut jamais faire les choses à moitié.

Refrains enfantins

Des petites filles courent dans les couloirs du théâtre en chantant.

Ouh ouh
ouh ouh
C'est la chanson du loup garou
Où où
quand quand
comment comment
pourquoi pourquoi
Ouh ouh
ouh ouh
C'est la chanson du loup garou

Il pleut Il pleut
Il fait beau
Il fait du soleil
Il est tôt
Il se fait tard
Il
Il
Il
toujours Il
Toujours Il qui pleut et qui neige
Toujours Il qui fait du soleil
Toujours Il
Pourquoi pas Elle
Jamais Elle
Pourtant Elle aussi
souvent se fait belle!

Jour de fête

Où vas-tu mon enfant avec ces fleurs
Sous la pluie

Il pleut il mouille
Aujourd'hui c'est la fête à la grenouille
Et la grenouille
C'est mon amie

Voyons
On ne souhaite pas la fête à une bête
Surtout à un batracien
Décidément si nous n'y mettons bon ordre
Cet enfant deviendra un vaurien
Et il nous en fera voir
De toutes les couleurs
L'arc-en-ciel le fait bien
Et personne ne lui dit rien
Cet enfant n'en fait qu'à sa tête
Nous voulons qu'il en fasse à la nôtre

Oh! mon père!
Oh! ma mère!
Oh! grand oncle Sébastien!

Ce n'est pas avec ma tête
Que j'entends mon cœur qui bat
Aujourd'hui c'est jour de fête
Pourquoi ne comprenez-vous pas
Oh! ne me touchez pas l'épaule
Ne m'attrapez pas par le bras
Souvent la grenouille m'a fait rire
Et chaque soir elle chante pour moi
Mais voilà qu'ils ferment la porte
Et s'approchent doucement de moi
Je leur crie que c'est jour de fête
Mais leur tête me désigne du doigt.

Etre ange

Etre ange
c'est étrange
dit l'ange
Etre âne
c'est étrâne
dit l'âne
Cela ne veut rien dire
dit l'ange en haussant les ailes
Pourtant
si étrange veut dire quelque chose
étrâne est plus étrange qu'étrange
dit l'âne
Etrange est
dit l'ange en tapant des pieds
Etranger vous-même
dit l'âne
Et il s'envole.

L'Etoile de mer

L'étoile
quand on la rejette à la mer
disparaît en dansant
c'est un petit rat d'Opéra
Toujours une tête
deux jambes
deux bras.

Les animaux ont des ennuis

A Christiane Verger

Le pauvre crocodile n'a pas de C cédille
on a mouillé les L de la pauvre grenouille
le poisson scie
a des soucis
le poisson sole
ça le désole

Mais tous les oiseaux ont des ailes
même le vieil oiseau bleu
même la grenouille verte
elle a deux L avant l'E

Laissez les oiseaux à leur mère
laissez les ruisseaux dans leur lit
laissez les étoiles de mer
sortir si ça leur plaît la nuit
laissez les p'tits enfants briser leur tirelire
laissez passer le café si ça lui fait plaisir

La vieille armoire normande
et la vache bretonne
sont parties dans la lande en riant comme deux folles
les petits veaux abandonnés
pleurent comme des veaux abandonnés

Car les petits veaux n'ont pas d'ailes
comme le vieil oiseau bleu
ils ne possèdent à eux deux
que quelques pattes et deux queues

Laissez les oiseaux à leur mère
laissez les ruisseaux dans leur lit
laissez les étoiles de mer
sortir si ça leur plaît la nuit
laissez les éléphants ne pas apprendre à lire
laissez les hirondelles aller et revenir.

L'Orgue de Barbarie

Moi je joue du piano
disait l'un
moi je joue du violon
disait l'autre
moi de la harpe moi du banjo
moi du violoncelle
moi du biniou . . . moi de la flûte
et moi de la crécelle.
Et les uns et les autres parlaient parlaient
parlaient de ce qu'ils jouaient.
On n'entendait pas la musique
tout le monde parlait
parlait parlait
personne ne jouait
mais dans un coin un homme se taisait:
'Et de quel instrument jouez-vous Monsieur
qui vous taisez et qui ne dites rien?'
lui demandèrent les musiciens.
'Moi je joue de l'orgue de Barbarie
et je joue du couteau aussi'
dit l'homme qui jusqu'ici
n'avait absolument rien dit
et puis il s'avança le couteau à la main
et il tua tous les musiciens

et il joua de l'orgue de Barbarie
et sa musique était si vraie
et si vivante et si jolie
que la petite fille du maître de la maison
sortit de dessous le piano
où elle était couchée endormie par ennui
et elle dit:
'Moi je jouais au cerceau
à la balle au chasseur
je jouais à la marelle
je jouais avec un seau
je jouais avec une pelle
je jouais au papa et à la maman
je jouais à chat perché
je jouais avec mes poupées
je jouais avec une ombrelle
je jouais avec mon petit frère
avec ma petite sœur
je jouais au gendarme
et au voleur
mais c'est fini fini fini
je veux jouer à l'assassin
je veux jouer de l'orgue de Barbarie.'
Et l'homme prit la petite fille par la main
et ils s'en allèrent dans les villes
dans les maisons dans les jardins
et puis ils tuèrent le plus de monde possible
après quoi ils se marièrent
et ils eurent beaucoup d'enfants.
Mais
l'aîné apprit le piano
le second le violon
le troisième la harpe
le quatrième la crécelle
le cinquième le violoncelle
et puis il se mirent à parler parler
parler parler parler
on n'entendit plus la musique
et tout fut à recommencer!

Chanson des escargots qui vont à l'enterrement

A l'enterrement d'une feuille morte
Deux escargots s'en vont
Ils ont la coquille noire
Du crêpe autour des cornes
Ils s'en vont dans le soir
Un très beau soir d'automne
Hélas quand ils arrivent
C'est déjà le printemps
Les feuilles qui étaient mortes
Sont toutes ressuscitées
Et les deux escargots
Sont très désappointés
Mais voilà le soleil
Le soleil qui leur dit
Prenez prenez la peine
La peine de vous asseoir
Prenez un verre de bière
Si le cœur vous en dit
Prenez si ça vous plaît
L'autocar pour Paris
Il partira ce soir
Vous verrez du pays
Mais ne prenez pas le deuil
C'est moi qui vous le dis
Ça noircit le blanc de l'œil
Et puis ça enlaidit
Les histoires de cercueils
C'est triste et pas joli
Reprenez vos couleurs
Les couleurs de la vie
Alors toutes les bêtes
Les arbres et les plantes
Se mettent à chanter
A chanter à tue-tête
La vrai chanson vivante
La chanson de l'été

Et tout le monde de boire
Tout le monde de trinquer
C'est un très joli soir
Un joli soir d'été
Et les deux escargots
S'en retournent chez eux
Ils s'en vont très émus
Ils s'en vont très heureux
Comme ils ont beaucoup bu
Ils titubent un p'tit peu
Mais là-haut dans le ciel
La lune veille sur eux.

A Paris . . .

A Paris
ces messieurs du Tout-Paris parlent d'or
ces messieurs parlent finances
ces messieurs parlent chiffres
ces messieurs parlent d'art
ces messieurs parlent d'abondance
ces messieurs parlent métaphysique voitures et politique
ces messieurs parlent haut
et puis pour parler femmes ces messieurs parlent argot
Ces messieurs hauts de forme et bas de plafond
ces messieurs parlent raison
Leurs dames parlent pointu haute musique haute cuisine
haute couture hauts chiffons

Dans les rues de Paris
l'enfant parle grand nègre et petit patapon
l'enfant parle soleil
l'enfant parle merveilles
l'enfant parle silence
l'enfant parle vacarme
l'enfant parle misère
l'enfant parle terreur

l'enfant parle beauté malice douleurs caprices
l'enfant parle amour
l'enfant parle bonheur
l'enfant parle désirs
l'enfant parle faim soif et sommeil
l'enfant parle délire et affaires de famille
l'enfant parle funèbre et larmes de crocodile
l'enfant parle chien savant perroquet érudit chinois de paravent
l'enfant parle scandale hôpital carnaval conflagration mondiale
l'enfant parle déchirant parle déconcertant
l'enfant parle mystère choquant et déplaisant
l'enfant parle incongru
à son corps défendu

Dans les rues de Paris
l'enfant parle travesti
et nu

Dans les rues de Paris
l'enfant parle moineau
parle crottin de cheval tétanos et vélo
l'enfant parle diable
l'enfant parle odieux
l'enfant
parle rêve et parle vrai parle bien
et parle mal parle fer et parle feu

Dans les rues de Paris
l'enfant parle image et magie
et
dans les images innées de son langage imaginaire
l'enfant découvre le monde
et le monde n'est pas fier
Et quand c'est le grand monde
le grand monde le fait taire.

Arbres...

Arbres
grands arbres de Londres
comme les derniers bisons vous êtes relégués
très loin derrière les grilles
de vos grands parcs réservés

Arbres
grands arbres de Londres
vous êtes en exil
vous attendez l'orage quelqu'un à qui parler
du Règne végétal aujourd'hui menacé

Mais des enfants arrivent
courant vers l'oasis de fraîcheur de lumière
laissant loin derrière eux
les fumées de la ville et ses déserts de pierre

Vacances de printemps
Trêve verte de l'été
Arbres de Londres vous souriez
car les enfants vous aiment comme vous les aimez
sans chercher à comprendre ce qu'ils ont deviné

Arbres de Londres
chefs-d'œuvre du vieux musée des eaux et forêts.

Les Enfants exigeants

Pères
regardez-vous à gauche
regardez-vous à droite
Pères
regardez-vous dans la glace
et regardez-nous en face.

Dressage

On dresse les enfants, mais quand l'un d'eux est plié en deux par le fou-rire lucide et clair, éblouissant, on le soumet au redressement.
Et ça ne doit pas faire un pli.

En classe

L'horrible bruit du mot: Silence! dans le tumulte de l'enfance.

La Classe hantée

Les vacances sont finies: Le spectre scolaire apparaît.

Force de frappe

Frapper les enfants, les femmes, les hommes puis, frapper la nature.
Et frapper la monnaie.

Le Cancre

Il dit non avec la tête
mais il dit oui avec le cœur
il dit oui à ce qu'il aime
il dit non au professeur
il est debout
on le questionne
et tous les problèmes sont posés
soudain le fou rire le prend
et il efface tout

les chiffres et les mots
les dates et les noms
les phrases et les pièges
et malgré les menaces du maître
sous les huées des enfants prodiges
avec des craies de toutes les couleurs
sur le tableau noir du malheur
il dessine le visage du bonheur.

Page d'écriture

Deux et deux quatre
quatre et quatre huit
huit et huit font seize...
Répétez! dit le maître
Deux et deux quatre
quatre et quatre huit
huit et huit font seize.
Mais voilà l'oiseau-lyre
qui passe dans le ciel
l'enfant le voit
l'enfant l'entend
l'enfant l'appelle:
Sauve-moi
joue avec moi
oiseau!
Alors l'oiseau descend
et joue avec l'enfant
Deux et deux quatre...
Répétez! dit le maître
et l'enfant joue
l'oiseau joue avec lui...
Quatre et quatre huit
huit et huit font seize
et seize et seize qu'est-ce qu'ils font?
Ils ne font rien seize et seize
et surtout pas trente-deux

de toute façon
et ils s'en vont.
Et l'enfant a caché l'oiseau
dans son pupitre
et tous les enfants
entendent sa chanson
et tous les enfants
entendent la musique
et huit et huit à leur tour s'en vont
et quatre et quatre et deux et deux
à leur tour fichent le camp
et un et un ne font ni une ni deux
un à un s'en vont également.
Et l'oiseau-lyre joue
et l'enfant chante
et le professeur crie:
Quand vous aurez fini de faire le pitre!
Mais tous les autres enfants
écoutent la musique
et les murs de la classe
s'écroulent tranquillement.
Et les vitres redeviennent sable
l'encre redevient eau
les pupitres redeviennent arbres
la craie redevient falaise
le porte-plume redevient oiseau.

Paris, 1907, Rue de Vaugirard (from *Enfance*)

. . . Nos fenêtres donnent sur le ciel, l'une d'elles sur la cour de l'école où l'on m'inscrit un peu trop vite: à peine le temps d'explorer le quartier.

L'école.

Je suis nouveau et en retard par-dessus le marché.

Tous les autres sont entrés depuis le 1er octobre, on est déjà le 1er février et, dans trois jours, c'est mon anniversaire.

'Bon présage', a dit mon père, 'tu entres en même temps à

l'école et dans ta septième année, et puis tu verras, c'est pas si terrible que ça.'

Non, c'est pas terrible l'école, c'est pas Ancenis ni Mettray, mais c'est pas nouveau non plus. C'est comme les copains m'ont raconté: on est assis toute la journée, on n'a pas le droit de bouger, on guette les heures et on les écoute sonner.

Tout à fait comme les problèmes qu'on me posera un peu plus tard, à la leçon d'arithmétique:

'Un élève entre en classe à 8h30, en sort à 11h30, revient à 1 heure et s'en va à 4 heures. Combien de minutes s'est-il ennuyé?'

On peut soustraire les chansons des rues, la pluie et la grêle, ou les cris du vitrier, les flèches de papier, le carbure dans les encriers et même, bien souvent, la bonne humeur du maître, ça fait tout de même un bon petit bout de temps, les mains sur la table ou les bras croisés. Alors j'attendais, j'attendais à 4 heures, j'attendais le jardin: le Luxembourg.

Souvenirs de famille, ou l'Ange Garde-Chiourme

On allait se coucher, le lendemain on se levait, ainsi, tous les jours, les jours faisaient la queue les uns derrière les autres, le lundi qui pousse le mardi, qui pousse le mercredi et ainsi de suite les saisons.

Les saisons, le vent, la mer, les arbres, les oiseaux. Les oiseaux, ceux qui chantent, qui partent en voyage, ceux qu'on tue; les oiseaux plumés, vidés, mangés cuits dans les poèmes ou cloués sur les portes des granges.

La viande aussi, le pain, l'abbé, la messe, mes frères, les légumes, les fruits, un malade, le docteur, l'abbé, un mort, l'abbé, la messe des morts, les feuilles vivantes, Jésus-Christ tombe pour la première fois, le Roi Soleil, le pélican lassé, le plus petit commun multiple, le général Dourakine, le Petit Chose, notre bon ange, Blanche de Castille, le petit tambour Bara, le Fruit de nos entrailles, l'abbé, tout seul ou avec un petit camarade, le renard, les raisins, la retraite de Russie, Clanche de Bastille, l'asthme de Panama et l'arthrite de Russie, les mains sur la table, J.-C. tombe pour la nième fois, il ouvre un large bec et laisse tomber le fromage pour réparer des ans l'irréparable outrage, le nez de Cléopâtre dans la vessie de Cromwell et voilà la face du monde changée, ainsi on grandissait, on allait à la messe, on s'instruisait et quelquefois on jouait avec l'âne dans le jardin.

Les Belles Familles

Louis I
Louis II
Louis III
Louis IV
Louis V
Louis VI
Louis VII
Louis VIII
Louis IX
Louis X (dit le Hutin)
Louis XI
Louis XII
Louis XIII
Louis XIV
Louis XV
Louis XVI
Louis XVIII
et plus personne plus rien...
qu'est-ce que c'est que ces gens-là
qui ne sont pas foutus
de compter jusqu'à vingt?

Composition française

Tout jeune Napoléon était très maigre
et officier d'artillerie
plus tard il devint empereur
alors il prit du ventre et beaucoup de pays

et le jour où il mourut il avait encore
du ventre
mais il était devenu plus petit.

En sortant de l'école

En sortant de l'école
nous avons rencontré
un grand chemin de fer
qui nous a emmenés
tout autour de la terre
dans un wagon doré
Tout autour de la terre
nous avons rencontré
la mer qui se promenait
avec tous ses coquillages
ses îles parfumées
et puis ses beaux naufrages
et ses saumons fumés
Au-dessus de la mer
nous avons rencontré
la lune et les étoiles
sur un bateau à voiles
partant pour le Japon
et les trois mousquetaires des cinq doigts de la main
tournant la manivelle d'un petit sous-marin
plongeant au fond des mers
pour chercher des oursins
Revenant sur la terre
nous avons rencontré
sur la voie de chemin de fer
une maison qui fuyait
fuyait tout autour de la terre
fuyait tout autour de la mer
fuyait devant l'hiver
qui voulait l'attraper
Mais nous sur notre chemin de fer

on s'est mis à rouler
rouler derrière l'hiver
et on l'a écrasé
et la maison s'est arrêtée
et le printemps nous a salués
C'était lui le garde-barrière
et il nous a bien remerciés
et toutes les fleurs de toute la terre
soudain se sont mises à pousser
pousser à tort et à travers
sur la voie du chemin de fer
qui ne voulait plus avancer
de peur de les abîmer
Alors on est revenu à pied
à pied tout autour de la terre
à pied tout autour de la mer
tout autour du soleil
de la lune et des étoiles
A pied à cheval en voiture et en bateau à voiles.

Adage

Ni
Dieu
Ni
Maître

Mieux
D'être.

(Agram l'âne)

II
DIEU, LA SOCIETE et LE MONDE DU TRAVAIL

'La révolution est quelquefois un rêve,
la religion toujours un cauchemar.'

Sur la terre

Evident
inattendu
ni défendu ni permis
un fruit.

Déjeuner du matin

Il a mis le café
Dans la tasse
Il a mis le lait
Dans la tasse de café
Il a mis le sucre
Dans le café au lait
Avec la petite cuiller
Il a tourné
Il a bu le café au lait
Et il a reposé la tasse
Sans me parler
Il a allumé
Une cigarette
Il a fait des ronds
Avec la fumée
Il a mis les cendres
Dans le cendrier
Sans me parler
Sans me regarder
Il s'est levé
Il a mis
Son chapeau sur sa tête
Il a mis
Son manteau de pluie
Parce qu'il pleuvait
Et il est parti
Sous la pluie
Sans une parole
Sans me regarder
Et moi j'ai pris
Ma tête dans ma main
Et j'ai pleuré.

Familiale

La mère fait du tricot
Le fils fait la guerre
Elle trouve ça tout naturel la mère
Et le père qu'est-ce qu'il fait le père?
Il fait des affaires
Sa femme fait du tricot
Son fils la guerre
Lui des affaires
Il trouve ça tout naturel le père
Et le fils et le fils
Qu'est-ce qu'il trouve le fils?
Il ne trouve rien absolument rien le fils
Le fils sa mère fait du tricot son père des affaires lui la guerre
Quand il aura fini la guerre
Il fera des affaires avec son père
La guerre continue la mère continue elle tricote
Le père continue il fait des affaires
Le fils est tué il ne continue plus
Le père et la mère vont au cimetière
Ils trouvent ça naturel le père et la mère
La vie continue la vie avec le tricot la guerre les affaires
Les affaires la guerre le tricot la guerre
Les affaires les affaires et les affaires
La vie avec le cimetière.

Inventaire

Une pierre
deux maisons
trois ruines
quatre fossoyeurs
un jardin
des fleurs

un raton laveur

une douzaine d'huîtres un citron un pain
un rayon de soleil
une lame de fond
six musiciens
une porte avec son paillasson
un monsieur décoré de la légion d'honneur

un autre raton laveur

un sculpteur qui sculpte des Napoléon
la fleur qu'on appelle souci
deux amoureux sur un grand lit
un receveur des contributions une chaise trois dindons
un ecclésiastique un furoncle
une guêpe
un rein flottant
une écurie de courses
un fils indigne deux frères dominicains trois sauterelles un strapontin
deux filles de joie un oncle Cyprien
une Mater dolorosa trois papas gâteau deux chèvres de Monsieur
Seguin
un talon Louis XV
un fauteuil Louis XVI
un buffet Henri II deux buffets Henri III trois buffets Henri IV
un tiroir dépareillé
une pelote de ficelle deux épingles de sûreté un monsieur âgé
une Victoire de Samothrace un comptable deux aides-comptables
un homme du monde deux chirurgiens trois végétariens
un cannibale
une expédition coloniale un cheval entier une demi-pinte de bon
sang une mouche tsé-tsé
un homard à l'américaine un jardin à la française
deux pommes à l'anglaise
un face-à-main un valet de pied un orphelin un poumon d'acier
un jour de gloire
une semaine de bonté
un mois de Marie
une année terrible
une minute de silence

une seconde d'inattention
et...

cinq ou six ratons laveurs

un petit garçon qui entre à l'école en pleurant
un petit garçon qui sort de l'école en riant
une fourmi
deux pierres à briquet
dix-sept éléphants un juge d'instruction en vacances assis sur un pliant
un paysage avec beaucoup d'herbe verte dedans
une vache
un taureau
deux belles amours trois grandes orgues un veau marengo
un soleil d'Austerlitz
un siphon d'eau de Seltz
un vin blanc citron
un Petit Poucet un grand pardon un calvaire de pierre une échelle de corde
deux sœurs latines trois dimensions douze apôtres mille et une nuits trente-deux positions six parties du monde cinq points cardinaux dix ans de bons et loyaux services sept péchés capitaux deux doigts de la main dix gouttes avant chaque repas trente jours de prison dont quinze de cellule cinq minutes d'entracte

et...

plusieurs ratons laveurs.

Un jour... non loin du Palais de Justice

Un jour
non loin du Palais de Justice et de la Préfecture de Police
qui depuis longtemps n'existaient plus non plus
un jour il n'y avait plus de marché aux oiseaux ni de marché aux fleurs

Un jour il y avait seulement encore
des musées consacrés aux usages d'antan
des musées des choses d'avant
des musées des erreurs

Des étourneaux âgés conduisaient les tout petits au musée des oiseaux
et leur montraient des pièges et des cages
des miroirs à alouettes et des volières désertes

Au musée des fleurs
de jeunes plantes grimpaient jusqu'aux larges baies vitrées
et jetaient en grimpant un coup d'œil amusé
sur les grandes cloches vides les vieux arrosoirs verts les sécateurs rouillés

Au musée de la guerre
des héros de cire perdue
attendaient vainement et à demi fondus
le retour des rares visiteurs qui entrés là un jour par mégarde ou erreur
n'y revenaient plus

Au musée des esclaves
des hommes souriant sans la moindre méchanceté
montraient à des enfants
des maîtres en liberté et ne sachant qu'en faire
debout au garde-à-vous regrettant le passé
devant la grande vitrine où était exposée la courte échelle des salaires

Au musée de la Justice une vieille balance

Eh là
je vous arrête et c'est une façon de parler
disait à sa cuisinière qui lui contait son rêve avec ingénuité
un président d'assises en la tançant du doigt avec aménité

Bien sûr c'était un rêve
disait la cuisinière
Mais qu'est-ce que ça peut faire
je fais bien la cuisine
et ma cuisine est vraie puisque vous en mangez

Lui aussi était vrai
ce rêve quand je l'ai fait.

Pater Noster

Notre Père qui êtes aux cieux
Restez-y
Et nous nous resterons sur la terre
Qui est quelquefois si jolie
Avec ses mystères de New York
Et puis ses mystères de Paris
Qui valent bien celui de la Trinité
Avec son petit canal de l'Ourcq
Sa grande muraille de Chine
Sa rivière de Morlaix
Ses bêtises de Cambrai
Avec son Océan Pacifique
Et ses deux bassins aux Tuileries
Avec ses bons enfants et ses mauvais sujets
Avec toutes les merveilles du monde
Qui sont là
Simplement sur la terre
Offertes à tout le monde
Eparpillées
Emerveillées elles-mêmes d'être de telles merveilles
Et qui n'osent se l'avouer
Comme une jolie fille nue qui n'ose se montrer
Avec les épouvantables malheurs du monde
Qui sont légion
Avec leurs légionnaires
Avec leurs tortionnaires
Avec les maîtres de ce monde
Les maîtres avec leurs prêtres leurs traîtres et leurs reîtres
Avec les saisons
Avec les années

Avec les jolies filles et avec les vieux cons
Avec la paille de la misère pourrissant dans l'acier des canons.

La Nouvelle Saison

Une terre fertile
Une lune bonne enfant
Une mer hospitalière
Un soleil souriant
Au fil de l'eau
Les filles de l'air du temps
Et tous les garçons de la terre
Nagent dans le plus profond ravissement
Jamais d'été jamais d'hiver
Jamais d'automne ni de printemps
Simplement le beau temps tout le temps
Et Dieu chassé du paradis terrestre
Par ces adorables enfants
Qui ne le reconnaissent ni d'Eve ni d'Adam
Dieu s'en va chercher du travail en usine
Du travail pour lui et pour son serpent
Mais il n'y a plus d'usine
Il y a seulement
Une terre fertile
Une lune bonne enfant
Une mer hospitalière
Un soleil souriant
Et Dieu avec son reptile
Reste là
Gros Saint Jean comme devant
Dépassé par les événements.

Chanson dans le sang

Il y a de grandes flaques de sang sur le monde
où s'en va-t-il tout ce sang répandu
est-ce la terre qui le boit et qui se saoule
drôle de soulographie alors
si sage... si monotone...
Non la terre ne se saoule pas
la terre ne tourne pas de travers
elle pousse régulièrement sa petite voiture ses quatre saisons
la pluie... la neige...
la grêle... le beau temps...
jamais elle n'est ivre
c'est à peine si elle se permet de temps en temps
un malheureux petit volcan
Elle tourne la terre
elle tourne avec ses arbres... ses jardins... ses maisons...
elle tourne avec ses grandes flaques de sang
et toutes les choses vivantes tournent avec elle et saignent...
Elle elle s'en fout
la terre
elle tourne et toutes les choses vivantes se mettent à hurler
elle s'en fout
elle tourne
elle n'arrête pas de tourner
et le sang n'arrête pas de couler...
Où s'en va-t-il tout ce sang répandu
le sang des meurtres... le sang des guerres...
le sang de la misère...
et le sang des hommes torturés dans les prisons...
le sang des enfants torturés tranquillement par leur papa et leur
maman...
et le sang des hommes qui saignent de la tête
dans les cabanons...
et le sang du couvreur
quand le couvreur glisse et tombe du toit
Et le sang qui arrive et qui coule à grands flots
avec le nouveau-né... avec l'enfant nouveau...
la mère qui crie... l'enfant pleure...

le sang coule... la terre tourne
la terre n'arrête pas de tourner
le sang n'arrête pas de couler
Où s'en va-t-il tout ce sang répandu
le sang des matraqués... des humiliés...
des suicidés... des fusillés... des condamnés...
et le sang de ceux qui meurent comme ça... par accident
Dans la rue passe un vivant
avec tout son sang dedans
soudain le voilà mort
et tout son sang est dehors
et les autres vivants font disparaître le sang
ils emportent le corps
mais il est têtu le sang
et là où était le mort
beaucoup plus tard tout noir
un peu de sang s'étale encore...
sang coagulé
rouille de la vie rouille des corps
sang caillé comme le lait
comme le lait quand il tourne
quand il tourne comme la terre
comme la terre qui tourne
avec son lait... avec ses vaches...
avec ses vivants... avec ses morts...
la terre qui tourne avec ses arbres... ses vivants... ses maisons...
la terre qui tourne avec les mariages...
les enterrements...
les coquillages...
les régiments...
la terre qui tourne et qui tourne
avec ses grands ruisseaux de sang.

La Batteuse

La batteuse est arrivée
la batteuse est repartie

Ils ont battu le tambour
ils ont battu les tapis
ils ont tordu le linge
ils l'ont pendu
ils l'ont repassé
ils ont fouetté la crème et ils l'ont renversée
ils ont fouetté un peu leurs enfants aussi
ils ont sonné les cloches
ils ont égorgé le cochon
ils ont grillé le café
ils ont fendu le bois
ils ont cassé les oeufs
ils ont fait sauter le veau avec les petits pois
ils ont flambé l'omelette au rhum
ils ont découpé la dinde
ils ont tordu le cou aux poulets
ils ont écorché les lapins
ils ont éventré les barriques
ils ont noyé leur chagrin dans le vin
ils ont claqué les portes et les fesses des femmes
ils se sont donné un coup de main
ils se sont rendu des coups de pied
ils ont basculé la table
ils ont arraché la nappe
ils ont poussé la romance
ils se sont étranglés étouffés tordus de rire
ils ont brisé la carafe d'eau frappée
ils ont renversé la crème renversée
ils ont pincé les filles
ils les ont culbutées dans le fossé
ils ont mordu la poussière
ils ont battu la campagne
ils ont tapé des pieds
tapé des pieds tapé des mains

ils ont crié et ils ont hurlé ils ont chanté
ils ont dansé
ils ont dansé autour des granges où le blé était enfermé

Où le blé était enfermé moulu fourbu vaincu
battu.

Chanson des sardinières

Tournez tournez
petites filles
tournez autour des fabriques
bientôt vous serez dedans
tournez tournez
filles des pêcheurs
filles des paysans

Les fées qui sont venues
autour de vos berceaux
les fées étaient payées
par les gens du château
elles vous ont dit l'avenir
et il n'était pas beau

Vous vivrez malheureuses
et vous aurez beaucoup d'enfants
beaucoup d'enfants
qui vivront malheureux
et qui auront beaucoup d'enfants
qui vivront malheureux
et qui auront beaucoup d'enfants
beaucoup d'enfants
qui vivront malheureux
et qui auront beaucoup d'enfants
beaucoup d'enfants
beaucoup d'enfants...

Tournez tournez
petites filles
tournez autour des fabriques
bientôt vous serez dedans
tournez tournez
filles des pêcheurs
filles des paysans

Evénements
Le Cauchemar du chauffeur de taxi

. . . Un taxi s'arrête,
des êtres humains descendent
L'un d'eux paie le chauffeur,
Le chauffeur s'en va avec son taxi.
Un autre humain l'appelle,
Donne une adresse et monte.
Le taxi repart: vingt cinq rue de Chateaudun
Le chauffeur a l'adresse dans la mémoire
Il la garde juste le temps qu'il faut
Mais c'est tout de même un drôle de boulot
Et quand il a la fièvre, quand il est noir,
Quand il est couché le soir.
Des milliers et des milliers d'adresses
arrivent à toute vitesse et se bagarrent dans sa mémoire.
Il a la tête comme un bottin,
comme un plan de métropolitain.
Alors il prend sa tête entre ses mains
Alors il prend sa tête entre ses mains
et il se plaint tout doucement.
Deux cent vingt deux rue de Vaugirard,
Trente trois rue de Ménilmontant.
Grand Palais, gare Saint-Lazare,
Grand Palais, gare Saint-Lazare,
Grand Palais, gare Saint-Lazare.
Grand Palais, gare Saint-Lazare
Grand Palais, gare Saint-Lazare.

Rue du dernier des Mohicans,
Place de colonel Ronchonot,
Avenue du Gros Barbu, du Gros Barbu.
Boulevard des Trois Idiots.
Taxi Taxi Taxi Taxi
Taxi pour la sortie.
Taxi pour le Grand Prix.
Taxi pour le pince fesse,
Taxi pour la Comtesse.
Taxi pour le cocktail,
Taxi pour les affaires,
Taxi pour la grande guerre,
Taxi Taxi Taxi Taxi Taxi pour le cimetière.

Chasse à l'enfant

A Marianne Oswald

Bandit! Voyou! Voleur! Chenapan!

Au-dessus de l'île on voit des oiseaux
Tout autour de l'île il y a de l'eau

Bandit! Voyou! Voleur! Chenapan!

Qu'est-ce que c'est que ces hurlements

Bandit! Voyou! Voleur! Chenapan!

C'est la meute des honnêtes gens
Qui fait la chasse à l'enfant

Il avait dit J'en ai assez de la maison de redressement
Et les gardiens à coups de clefs lui avaient brisé les dents
Et puis ils l'avaient laissé étendu sur le ciment

Bandit! Voyou! Voleur! Chenapan!

Maintenant il s'est sauvé
Et comme une bête traquée
Il galope dans la nuit
Et tous galopent après lui
Les gendarmes les touristes les rentiers les artistes

Bandit! Voyou! Voleur! Chenapan!

C'est la mente des honnêtes gens
Qui fait la chasse à l'enfant
Pour chasser l'enfant pas besoin de permis
Tous les braves gens s'y sont mis
Qu'est-ce qui nage dans la nuit
Quels sont ces éclairs ces bruits
C'est un enfant qui s'enfuit
On tire sur lui à coups de fusil

Bandit! Voyou! Voleur! Chenapan!

Tous ces messieurs sur le rivage
Sont bredouilles et verts de rage

Bandit! Voyou! Voleur! Chenapan!

Rejoindras-tu le continent rejoindras-tu le continent

Au-dessus de l'île on voit des oiseaux
Tout autour de l'île il y a de l'eau.

Chanson de l'eau
(from *Spectacle*)

Furtive comme un petit rat,
Un petit rat d'Aubervilliers,
Comme la misère qui court les rues
Les petites rues d'Aubervilliers
L'eau courante court sur les pavés

Sur le pavé d'Aubervilliers,
Elle se dépêche
Elle est pressée
On dirait qu'elle veut échapper
Echapper à Aubervilliers
Pour s'en aller dans la campagne
Dans les prés et dans les forêts
Et raconter à ses compagnes
Les rivières les bois et les prés
Les simples rêves des ouvriers
Des ouvriers d'Aubervilliers.

La Grasse Matinée

Il est terrible
le petit bruit de l'œuf dur cassé sur un comptoir d'étain
il est terrible ce bruit
quand il remue dans la mémoire de l'homme qui a faim
elle est terrible aussi la tête de l'homme
la tête de l'homme qui a faim
quand il se regarde à six heures du matin
dans la glace du grand magasin
une tête couleur de poussière
ce n'est pas sa tête pourtant qu'il regarde
dans la vitrine de chez Potin
il s'en fout de sa tête l'homme
il n'y pense pas
il songe
il imagine une autre tête
une tête de veau par exemple
avec une sauce de vinaigre
ou une tête de n'importe quoi qui se mange
et il remue doucement la mâchoire
doucement
et il grince des dents doucement
car le monde se paye sa tête
et il ne peut rien contre ce monde
et il compte sur ses doigts un deux trois

un deux trois
cela fait trois jours qu'il n'a pas mangé
et il a beau se répéter depuis trois jours
Ca ne peut pas durer
ça dure
trois jours
trois nuits
sans manger
et derrière ces vitres
ces pâtés ces bouteilles ces conserves
poissons morts protégés par les boîtes
boîtes protégées par les vitres
vitres protégées par les flics
flics protégés par la crainte
que de barricades pour six malheureuses sardines...
Un peu plus loin le bistro
café-crème et croissants chauds
l'homme titube
et dans l'intérieur de sa tête
un brouillard de mots
un brouillard de mots
sardines à manger
œuf dur café-crème
café arrosé rhum
café-crème
café-crème
café-crime arrosé sang!...
Un homme très estimé dans son quartier
a été égorgé en plein jour
l'assassin le vagabond lui a volé
deux francs
soit un café arrosé
zéro franc soixante-dix
deux tartines beurrées
et vingt-cinq centimes pour le pourboire du garçon.
Il est terrible
le petit bruit de l'œuf dur cassé sur un comptoir d'étain
il est terrible ce bruit
quand il remue dans la mémoire de l'homme qui a faim.

Tentative de description d'un dîner de têtes à Paris-France

... Le soleil brille pour tout le monde, il ne brille pas
dans les prisons, il ne brille pas pour ceux qui travaillent
dans la mine
ceux qui écaillent le poisson
ceux qui mangent la mauvaise viande
ceux qui fabriquent les épingles à cheveux
ceux qui soufflent vides les bouteilles que d'autres boiront pleines
ceux qui coupent le pain avec leur couteau
ceux qui passent leurs vacances dans les usines
ceux qui ne savent pas ce qu'il faut dire
ceux qui traient les vaches et ne boivent pas le lait
ceux qu'on n'endort pas chez le dentiste
ceux qui crachent leurs poumons dans le métro
ceux qui fabriquent dans les caves les stylos avec lesquels d'autres
écriront en plein air que tout va pour le mieux
ceux qui en ont trop à dire pour pouvoir le dire
ceux qui ont du travail
ceux qui n'en ont pas
ceux qui en cherchent
ceux qui n'en cherchent pas
ceux qui donnent à boire aux chevaux
ceux qui regardent leur chien mourir
ceux qui ont le pain quotidien relativement hebdomadaire
ceux qui l'hiver se chauffent dans les églises
ceux que le suisse envoie se chauffer dehors
ceux qui croupissent
ceux qui voudraient manger pour vivre
ceux qui voyagent sous les roues
ceux qui regardent la Seine couler
ceux qu'on engage, qu'on remercie, qu'on augmente, qu'on
diminue, qu'on manipule, qu'on fouille, qu'on assomme
ceux dont on prend les empreintes
ceux qu'on fait sortir des rangs au hasard et qu'on fusille
ceux qu'on fait défiler devant l'Arc
ceux qui ne savent pas se tenir dans le monde entier
ceux qui n'ont jamais vu la mer

ceux qui sentent le lin parce qu'ils travaillent le lin
ceux qui n'ont pas l'eau courante
ceux qui sont voués au bleu horizon
ceux qui jettent le sel sur la neige moyennant un salaire absolument
 dérisoire
ceux qui vieillissent plus vite que les autres
ceux qui ne se sont pas baissés pour ramasser l'épingle
ceux qui crèvent d'ennui le dimanche après-midi
 parce qu'ils voient venir le lundi
 et le mardi, et le mercredi, et le jeudi, et le vendredi
 et le samedi
 et le dimanche après-midi.

Suivez le guide suivez le guide

Autrefois dans le temps
l'arbre du bois où fut taillé ce banc
était l'un des piliers d'une lointaine forêt

Maintenant
ce banc sert de socle à l'un des très simples monuments
élevés quotidiennement et très temporairement
sur nos plus belles avenues et nos plus grands boulevards
Elevés par le labeur à ses vieux serviteurs
à l'ombre même des plus grands Bâtiments
élevés eux-mêmes par leurs modestes travailleurs

Et vous qui profitez des moindres occasions
pour écouter les moindres battements
de votre grand cœur touristique

Jetez un coup d'œil en passant
sur cette statue de plâtre de sable de ciment
et de chaux hydraulique
Cette statue de chair et d'os
et de charpente usée
et d'heures supplémentaires et d'air raréfié

et d'ampoules aux mains et de sangs retournés
et d'éclats de silex sous les paupières fermées

Mais faites vite gentlemen
ladies and messieurs dames
pour les instantanés
Cet intéressant monument n'est que momentanément et
fortuitement dressé
Et bientôt au Musée du Kremlin-Bicêtre
à l'asile des vieillards
où sa place est déjà prête
cette statue sera invalidée hospitalisée et entourée de mille soins
bien mérités
Parfois et surtout le dimanche
un peu de vin
sans oublier quelques nombreuses cigarettes
dans le courant de chaque semaine.

Il ne faut pas...

Il ne faut pas laisser les intellectuels jouer avec les allumettes
Parce que Messieurs quand on le laisse seul
Le monde mental Messieurs
N'est pas du tout brillant
Et sitôt qu'il est seul
Travaille arbitrairement
S'érigeant pour soi-même
Et soi-disant généreusement en l'honneur des travailleurs
du bâtiment
Un auto-monument
Répétons-le Messsssieurs
Quand on le laisse seul
Le monde mental
Ment
Monumentalement.

Escales

Il a jeté son encre
aux îles Atoulu
aux îles Atouvu
aux îles Atousu
aux îles Atouvoulu
Et terminé ses jours
aux îles Napavécu.

Et d'autres dans d'autres rues s'en vont...

Et d'autres dans d'autres rues s'en vont
accompagnés d'autres chansons

Au loin est l'horizon
verticaux nous passons

Et nous allons et nous venons
nous nous suivons nous nous croisons
Parfois sans nous voir
nous nous heurtons
et sans nous entendre
Nous nous excusons

Au loin est l'horizon
verticaux nous passons

Les uns ont l'heure
et n'ont pas le temps
les autres ont le temps
et n'ont pas l'heure
les uns portent une jaquette
les autres un sac sur le dos

Au loin est l'horizon
verticaux nous passons
et les uns et les autres font marcher le commerce
comme le commerce aussi les fait marcher
les uns à la baguette
les autres à coups de pied

Verticaux nous passons
au loin est l'horizon...

Le Désespoir est assis sur un banc

Dans un square sur un banc
Il y a un homme qui vous appelle quand on passe
Il a des binocles un vieux costume gris
Il fume un petit ninas il est assis
Et il vous appelle quand on passe
Ou simplement il vous fait signe
Il ne faut pas le regarder
Il ne faut pas l'écouter
Il faut passer
Faire comme si on ne le voyait pas
Comme si on ne l'entendait pas
Il faut passer presser le pas
Si vous le regardez
Si vous l'écoutez
Il vous fait signe et rien personne
Ne peut vous empêcher d'aller vous asseoir près de lui
Alors il vous regarde et sourit
Et vous souffrez atrocement
Et l'homme continue de sourire
Et vous souriez du même sourire
Exactement
Plus vous souriez plus vous souffrez
Atrocement
Plus vous souffrez plus vous souriez
Irrémédiablement

Et vous restez là
Assis figé
Souriant sur le banc
Des enfants jouent tout près de vous
Des passants passent
Tranquillement
Des oiseaux s'envolent
Quittant un arbre
Pour un autre
Et vous restez là
Sur le banc
Et vous savez vous savez
Que jamais plus vous ne jouerez
Comme ces enfants
Vous savez que jamais plus vous ne passerez
Tranquillement
Comme ces passants
Que jamais plus vous ne vous envolerez
Quittant un arbre pour un autre
Comme ces oiseaux.

Au hasard des oiseaux

J'ai appris très tard à aimer les oiseaux
je le regrette un peu
mais maintenant tout est arrangé
on s'est compris
ils ne s'occupent pas de moi
je ne m'occupe pas d'eux
je les regarde
je les laisse faire
tous les oiseaux font de leur mieux
ils donnent l'exemple
pas l'exemple comme par exemple Monsieur Glacis
qui s'est remarquablement courageusement conduit pendant la guerre ou l'exemple du petit Paul qui était si pauvre et si beau et tellement honnête avec ça et qui est devenu plus tard le grand Paul

si riche et si vieux si honorable et si affreux et si avare et si charitable et si pieux
ou par exemple cette vieille servante qui eut une vie et une mort exemplaires, jamais de discussions, pas ça l'ongle claquant sur la dent, pas ça de discussion avec monsieur ou avec madame au sujet de cette affreuse question des salaires
non
les oiseaux donnent l'exemple
l'exemple comme il faut
exemple des oiseaux
exemple des oiseaux
exemple les plumes les ailes le vol des oiseaux
exemple le nid les voyages et les chants des oiseaux
exemple la beauté des oiseaux
exemple le cœur des oiseaux
la lumière des oiseaux.

Il n'y a pas cinq ou six merveilles dans le monde, mais une seule: l'amour.

III
L'AMOUR

L'amour
Eternité étreinte.

(Anna Gram)

Je ne veux pas t'avoir mais, comme je t'aime, je peux t'être.

(Choses et autres)

Et ta soeur?

C'est la beauté,
dit la détresse,

La volupté,
dit la douleur,

La cruauté,
dit la tendresse,

L'indifférence,
dit le désespoir.

La mort,
dit le malheur.

Ma sœur,
c'est l'amour,
dit l'heur
le bon heur.

Chanson

Quel jour sommes-nous
Nous sommes tous les jours
Mon amie
Nous sommes toute la vie
Mon amour
Nous nous aimons et nous vivons
Nous vivons et nous nous aimons
Et nous ne savons pas ce que c'est que la vie
Et nous ne savons pas ce que c'est que le jour
Et nous ne savons pas ce que c'est que l'amour.

Le Jardin

Des milliers et des milliers d'années
Ne sauraient suffire
Pour dire
La petite seconde d'éternité
Où tu m'as embrassé
Où je t'ai embrassée
Un matin dans la lumière de l'hiver
Au parc Montsouris à Paris
A Paris
Sur la terre
La terre qui est un astre.

Chant Song

Moon lune
chant song
rivière river
garden rêveur
petite house
little maison

Chant song
chant song
bleu song
et oiseau bleu
blood sang
and bird oiseau
bleu song red sang
chant song
chant song

Chant song
chant song
blue song
et oiseau bleu

blood sang
and bird oiseau
blue song red sang

Oh girl fille
oh yes je t'aime
oh oui love you
oh girl fille
oh flower girl
je t'aime tant

Oh girl fille
oh oui love you

Moon lune
chant song
rivière rêveur
garden river
rêve dream
mer sea

Thank you
moon lune
thank you
mer sea

Moon lune
chant song
rivière river
garden rêveur
children enfant
mer sea
time temps

Oh flower girl
children enfant
oh yes je t'aime
je t'aime tant
t'aime tant

t'aime tant
time temps
time temps
time temps
time temps
et tant et tant
et tant et tant
et tant...

et temps.

Hyde Park

Comme la mer aussi se roule sur le sable
ici les amoureux agissent comme bon leur semble

Et nul ne leur demande
si c'est pour une nuit ou bien pour un moment
Personne ne leur parle du prix de cette chambre
de velours vert vivant

Hyde and Jekyll Park
éden public où l'on entend jour et nuit en sourdine
le Devil save the dream.

Alicante

Une orange sur la table
Ta robe sur le tapis
Et toi dans mon lit
Doux présent du présent
Fraîcheur de la nuit
Chaleur de ma vie.

Sanguine

La fermeture éclair a glissé sur tes reins
et tout l'orage heureux de ton corps amoureux
au beau milieu de l'ombre
a éclaté soudain
Et ta robe en tombant sur le parquet ciré
n'a pas fait plus de bruit
qu'une écorce d'orange tombant sur un tapis
Mais sous nos pieds
ses petits boutons de nacre craquaient comme des pépins
Sanguine
joli fruit
La pointe de ton sein
a tracé une nouvelle ligne de chance
dans le creux de ma main
Sanguine
joli fruit

Soleil de nuit.

On frappe

Qui est là
Personne
C'est simplement mon cœur qui bat
Qui bat très fort
A cause de toi
Mais dehors
La petite main de bronze sur la porte de bois
Ne bouge pas
Ne remue pas
Ne remue pas seulement le petit bout du doigt.

Le Lézard

Le lézard de l'amour
S'est enfui encore une fois
Et m'a laissé sa queue entre les doigts
C'est bien fait
J'avais voulu le garder pour moi.

Paris at night

Trois allumettes une à une allumées dans la nuit
La première pour voir ton visage tout entier
La seconde pour voir tes yeux
La dernière pour voir ta bouche
Et l'obscurité toute entière pour me rappeler tout cela
En te serrant dans mes bras.

Sables mouvants

Démons et merveilles
Vents et marées
Au loin déjà la mer s'est retirée
Et toi
Comme une algue doucement caressée par le vent
Dans les sables du lit tu remues en rêvant
Démons et merveilles
Vents et marées
Au loin déjà la mer s'est retirée
Mais dans tes yeux entrouverts
Deux petites vagues sont restées
Démons et merveilles
Vents et marées
Deux petites vagues pour me noyer.

Le tendre et dangereux visage de l'amour

Le tendre et dangereux
visage de l'amour
m'est apparu un soir
après un trop long jour
C'était peut-être un archer
avec son arc
ou bien un musicien
avec sa harpe
Je ne sais plus
Je ne sais rien
Tout ce que je sais
c'est qu'il m'a blessée
peut-être avec une flèche
peut-être avec une chanson
Tout ce que je sais
c'est qu'il m'a blessée
blessée au cœur
et pour toujours
Brûlante trop brûlante
blessure de l'amour.

Pour toi mon amour

Je suis allé au marché aux oiseaux
Et j'ai acheté des oiseaux
Pour toi
mon amour
Je suis allé au marché aux fleurs
Et j'ai acheté des fleurs
Pour toi
mon amour
Je suis allé au marché à la ferraille
Et j'ai acheté des chaînes
De lourdes chaînes

Pour toi
mon amour
Et puis je suis allé au marché aux esclaves
Et je t'ai cherchée
Mais je ne t'ai pas trouvée
mon amour.

Les Ombres

Tu es là
en face de moi
dans la lumière de l'amour
Et moi
je suis là
en face de toi
avec la musique du bonheur
Mais ton ombre
sur le mur
guette tous les instants
de mes jours
et mon ombre à moi
fait de même
épiant ta liberté
Et pourtant je t'aime
et tu m'aimes
comme on aime le jour et la vie ou l'été
Mais comme les heures qui se suivent
et ne sonnent jamais ensemble
nos deux ombres se poursuivent
comme deux chiens de la même portée
détachés de la même chaîne
mais hostiles tous deux à l'amour
uniquement fidèles à leur maître
à leur maîtresse
et qui attendent patiemment
mais tremblants de détresse

la séparation des amants
qui attendent
que notre vie s'achève
et notre amour
et que nos os leur soient jetés
pour s'en saisir
et les cacher et les enfouir
et s'enfouir en même temps
sous les cendres du désir
dans les débris du temps.

Entrée Entrance...

Eros dirige le trafic de nuit du vieux port de Piccadilly

'Love
Love is money chéri'

Vénus sortie de l'onde à Newhaven venant de Dieppe
via Saint-Lazare Paris
Vénus tout à l'heure
a frôlé ce marin maintenant endormi
sur les marches du temple élevé en plein air
à la vie de l'amour à l'amour de la vie
Et le marin a le mauvais sommeil

'Love
Love is money chéri'
Mais Eros le prend sous son aile et lui dit
Qu'est-ce que tu veux c'est le refrain c'est la rengaine
des sirènes de l'ombre
des pauvres reines de la nuit
à Londres comme ailleurs
ailleurs comme à Paris
Elles vivent de leurs charmes
pourquoi en faire un drame
de quoi veux-tu qu'elles vivent ces pauvres petites souris

Et c'est Mercure qui fait les prix
a quoi bon te casser la tête
tout ça c'est de la Mythologie
Et le marin dans son sommeil sourit

Eros veille sur lui
comme il veille sur Auguste à la recherche de
Narcisse dans les derniers feux de la piste
de Piccadilly Circus
où le bel adolescent vêtu de haillons noirs et
fort bien coupés
sous le manteau
offre à qui sait les voir
les mille et un portraits de Dorian Gray.

Oh Folie...

Oh Folie
os fêlés
Le Cimetière est désert
les tombes dépareillées

Orphéons et Fanfares jouez-nous encore une fois
cet air fou d'autrefois
cet air si déchirant enluminant le Temps

Oh Folie
os fêlés

Dans sa boîte crânienne
au couvercle doré
un prince s'est enfermé
Dans sa cage cérébrale
il ne cesse de tourner
Une folle fille d'Eros
voudrait le délivrer

Si la cage est fragile
les barreaux sont solides
Elle a beau les secouer

Oh Folie d'Ophélie
os fêlés d'Hamlet.

Chanson du mois de mai

L'âne le roi et moi
Nous serons morts demain
L'âne de faim
Le roi d'ennui
Et moi d'amour

Un doigt de craie
Sur l'ardoise des jours
Trace nos noms
Et le vent dans les peupliers
Nous nomme
Ane Roi Homme

Soleil de Chiffon noir
Déjà nos noms sont effacés
Eau fraîche des Herbages
Sable des Sabliers
Rose du Rosier rouge
Chemin des Ecoliers

L'âne le roi et moi
Nous serons morts demain
L'âne de faim
Le roi d'ennui
Et moi d'amour
Au mois de mai

La vie est une cerise
La mort est un noyau
L'amour un cerisier.

'La guerre serait un bienfait des dieux si elle ne tuait que les professionnels.'

Traité de civilité puérile et honnête.

(Fatras)

Velléité de puissance

A la tête de l'Etat
à la tête des états
à la tête de tous les états
à la tête de la Terre
Et de la terre sur la tête.

(Choses et autres)

IV
LA GUERRE

Les bons conseils

Croissez et multipliez-vous!
Croissez et additionnez-vous!
Croissez et divisez-vous!
Croissez et soustrayez-vous!

(Fatras)

'Aux grands ogres, la Patrie reconnaissante.'

(Fatras)

Sur le champ

Somnambule en plein midi
je traverse le champ de manoeuvres
où les hommes apprennent à mourir
Empêtré dans les draps du rêve
je titube comme un homme ivre
Tiens un revenant dit le commandant
Non
un réfractaire seulement
dit le capitaine
En temps de guerre son affaire est claire
dit le lieutenant
d'autant plus qu'il n'est pas vêtu correctement
Pour un réfractaire
un costume de planches
c'est l'habit réglementaire
dit le commandant
Une grande planche dessus
une grande planche dessous
une plus petite du côté des pieds
une plus petite du côté de la tête
tout simplement

Excusez-moi
je ne faisais que passer
je dormais quand le clairon a sonné
Et il fait si beau dans mon rêve
que depuis le début de la guerre
je fais jour et nuit la grasse matinée

Le commandant dit
Donnez-lui un cheval une hache un canon un lance-flammes un
    cure-dent un tournevis
Mais qu'il fasse son devoir sur le champ

Je n'ai jamais su faire mon devoir
je n'ai jamais su apprendre une leçon
Mais donnez-moi un cheval

je le mènerai à l'abreuvoir
Donnez-moi aussi un canon
je le boirai avec les amis
Donnez-moi...
et puis je ne vous demande rien
je ne suis pas réglementaire
le casse-pipe n'est pas mon affaire

Moi je n'ai qu'une petite pipe
une petite pipe en terre
en terre réfractaire
et j'y tiens
Laissez-moi poursuivre mon chemin
en la fumant
soir et matin

Je ne suis pas réglementaire
Sur le sentier de votre guerre
je fume
mon petit calumet de paix
Inutile de vous mettre en colère
je ne vous demande pas de cendrier.

Le discours sur la paix

Vers la fin d'un discours extrêmement important
le grand homme d'Etat trébuchant
sur une belle phrase creuse
tombe dedans
et désemparé la bouche grande ouverte
haletant
montre les dents
et la carie dentaire de ses pacifiques raisonnements
met à vif le nerf de la guerre
la délicate question d'argent.

Le Fusillé

Les fleurs les jardins les jets d'eau les sourires
Et la douceur de vivre
Un homme est là par terre et baigne dans son sang
Les souvenirs les fleurs les jets d'eau les jardins
Les rêves enfantins
Un homme est là par terre comme un paquet sanglant
Les fleurs les jets d'eau les jardins les souvenirs
Et la douceur de vivre
Un homme est là par terre comme un enfant dormant.

La Crosse en l'air

... des militaires italiens bombardent un village abyssin
le catholique pratiquant sent ses larmes
se tarir brusquement
sent son cœur battre amoureusement
sent ses poings qui se serrent convulsivement
il aime tellement les militaires... les civières...
les enterrements... les cimetières... les vieilles pierres...
les calvaires... les ossements...
à chaque torpille qui tue les 'nègres'
il pousse un petit gloussement blanc
devant les images de la mort la joie de vivre le saisit
il voit là-haut dans le ciel tous les frères en Jésus-Christ
tous ses frères en Mussolini
les archanges des saints abattoirs
les éventreurs... les aviateurs... les mitrailleurs...
toute la clique de notre seigneur...
il est fou de joie... il est content... il grimpe sur son fauteuil
    à seize francs... il acclame l'escadrille des catholiques
    trafiquants... il sent monter en lui l'espoir
un jour aussi peut-être il versera le sang
le sang des pauvres... le sang des noirs...
le sang de ceux qui sont vraiment vivants

mais l'enthousiasme c'est épuisant et le pauvre petit malheureux catholique pratiquant impuissant et trafiquant... le pauvre pauvre pauvre petit petit petit tout petit tout petit très malheureux... très catholique... très catholique... très pratiquant se rassoit sur son fauteuil à seize francs
le spectacle est permanent...
il en aura pour son argent...

Tout s'en allait...

Il y avait de faibles femmes
et puis des femmes faciles
et des femmes fatales
qui pleuraient hurlaient sanglotaient
devant des hommes de paille
qui flambaient
Des enfants perdus couraient dans des ruines de rues
tout blêmes de savoir qu'ils ne se retrouveraient jamais plus
Et des chefs de famille
qui ne reconnaissaient plus le plancher du plafond
voletaient d'un étage à l'autre
dans une pluie de paillassons de suspensions de petites cuillers et de plumes d'édredon
Tout s'en allait
La ville s'écroulait
grouillait
s'émiettait
en tournant sur elle-même
sans même avoir l'air de bouger
Des cochons noirs aveuglés
dans la soudaine obscurité
d'une porcherie modèle désaffectée
galopaient
La ville s'en allait
suant sang et eau
gaz éclaté

Ceux qui n'avaient rêvé que plaies et bosses
se réveillaient
décapités
ayant perdu peignes et brosses
et autres petites mondanités
Une noce toute noire morte sur pied
depuis le garçon d'honneur jusqu'aux mariés
gardait un équilibre de cendre figée
devant un photographe
torréfié terrifié
Nouvelles ruines toutes neuves
hommage de guerre
jeux de reconstruction
profits et pertes
bois et charbons
Sur le dernier carré d'une maison ouvrière
une omelette abandonnée
pendait comme un vieux linge
sur une verrière brisée
et dans les miettes d'un vieux lit calciné mêlées à la sciure grise
    d'un buffet volatilisé
la viande humaine faisait corps-grillé avec la viande à manger

Dans les coulisses du progrès
des hommes intègres poursuivaient intégralement la désintégration
    progressive de la matière vivante
désemparée.

Barbara

Rappelle-toi Barbara
Il pleuvait sans cesse sur Brest ce jour-là
Et tu marchais souriante
Epanouie ravie ruisselante
Sous la pluie
Rappelle-toi Barbara

Il pleuvait sans cesse sur Brest
Et je t'ai croisée rue de Siam
Tu souriais
Et moi je souriais de même
Rappelle-toi Barbara
Toi que je ne connaissais pas
Toi qui ne me connaissais pas
Rappelle-toi
Rappelle-toi quand même ce jour-là
N'oublie pas
Un homme sous un porche s'abritait
Et il a crié ton nom
Barbara
Et tu as couru vers lui sous la pluie
Ruisselante ravie épanouie
Et tu t'es jetée dans ses bras
Rappelle-toi cela Barbara
Et ne m'en veux pas si je te tutoie
Je dis tu à tous ceux que j'aime
Même si je ne les ai vus qu'une seule fois
Je dis tu à tous ceux qui s'aiment
Même si je ne les connais pas
Rappelle-toi Barbara
N'oublie pas
Cette pluie sage et heureuse
Sur ton visage heureux
Sur cette ville heureuse
Cette pluie sur la mer
Sur l'arsenal
Sur le bateau d'Ouessant
Oh Barbara
Quelle connerie la guerre
Qu'es-tu devenue maintenant
Sous cette pluie de fer
De feu d'acier de sang
Et celui qui te serrait dans ses bras
Amoureusement
Est-il mort disparu ou bien encore vivant
Oh Barbara

Il pleut sans cesse sur Brest
Comme il pleuvait avant
Mais ce n'est plus pareil et tout est abîmé
C'est une pluie de deuil terrible et désolée
Ce n'est même plus l'orage
De fer d'acier de sang
Tout simplement des nuages
Qui crèvent comme des chiens
Des chiens qui disparaissent
Au fil de l'eau sur Brest
Et vont pourrir au loin
Au loin très loin de Brest
Dont il ne reste rien.

L'Ordre nouveau

Le soleil gît sur le sol
Litre de vin rouge brisé
Une maison comme un ivrogne
Sur le pavé s'est écroulée
Et sous son porche encore debout
Une jeune fille est allongée
Un homme à genoux près d'elle
Est en train de l'achever
Dans la plaie où remue le fer
Le cœur ne cesse de saigner
Et l'homme pousse un cri de guerre
Comme un absurde cri de paon
Et son cri se perd dans la nuit
Hors la vie hors du temps
Et l'homme au visage de poussière
L'homme perdu et abîmé
Se redresse et crie 'Heil Hitler!'
D'une voix désespérée
En face de lui dans les débris
D'une boutique calcinée
Le portrait d'un vieillard blême

Le regarde avec bonté
Sur sa manche des étoiles brillent
D'autres aussi sur son képi
Comme les étoiles brillent à Noël
Sur les sapins pour les petits
Et l'homme des sections d'assaut
Devant le merveilleux chromo
Soudain se retrouve en famille
Au cœur même de l'ordre nouveau
Et remet son poignard dans sa gaine
Et s'en va tout droit devant lui
Automate de l'Europe nouvelle
Détraqué par le mal du pays
Adieu adieu Lily Marlène
Et son pas et son chant s'éloignent dans la nuit
Et le portrait du vieillard blême
Au milieu des décombres
Reste seul et sourit
Tranquille dans la pénombre
Sénile et sûr de lui.

Le contrôleur

Allons allons
Pressons
Allons allons
Voyons pressons
Il y a trop de voyageurs
Trop de voyageurs
Pressons pressons
Il y en a qui font la queue
Il y en a partout
Beaucoup
Le long du débarcadère
Ou bien dans les couloirs du ventre de leur mère
Allons allons pressons
Pressons sur la gâchette

Il faut bien que tout le monde vive
Alors tuez-vous un peu
Allons allons
Voyons
Soyons sérieux
Laissez la place
Vous savez bien que vous ne pouvez pas rester là
Trop longtemps
Il faut qu'il y en ait pour tout le monde
Un petit tour on vous l'a dit
Un petit tour du monde
Un petit tour dans le monde
Un petit tour et on s'en va
Allons allons
Pressons pressons
Soyez polis
Ne poussez pas.

Câble confidentiel...

Extrait

Que voulez-vous quand plafond trop noir quoi bon lever les yeux plafond Stop
Autant cogner tête contre muraille du son Stop
Sommes pas seuls ennuyés Stop
Amis héréditaires dernières hostilités grosses difficultés Stop
Ennuis de nos amis sont aussi nos amis enfin me comprenez Stop
Malle des Indes en souffrance ainsi de suite et j'en passe Stop mais bien considérer bombes atomiques sommeil valises diplomatiques Stop
Industries des Réveils prête à intervenir Stop
Cas regrettable éventualité nouveau feu artifice mondial agir avec
doigté pour éviter bouquet Stop
D'accord votre objection millions vies humaines pas à négliger mais Intérêt Supérieur prime sur le Marché Stop
Sang versé Trésorerie sera toujours très honoré

Au cas beaucoup trop d'œufs dans omelette flambée
Verser profits et pertes comme par le passé Stop.

Fêtes à souhaiter
... si l'histoire suit son cours

1979: centenaire de Staline.
1983: centenaire de Mussolini.
1989: centenaire de Salazar.
1990: centenaire de De Gaulle.
1992: centenaire de Franco.
2069: tricentenaire de Napoléon 1er.

graffiti:

'Même si vous ne
le voyez pas d'un
bon œil
le paysage n'est
pas laid
c'est votre œil
qui
peut-être est mauvais.'

(Grand bal du printemps)

'La beauté s'appelle plurielle.'

V
L'ART ET LE LANGAGE

'Serait-ce toujours la guerre du gang des hautes formes contre le slang des bas-fonds?'

'Malgré l'horreur journalière audio-visuelle ou imprimée,
ils ne peuvent escamoter la beauté.
On dirait que tout cela est trop laid pour être vrai.'

'Dieu a fait l'homme son et image.'
Saint ORTF

(Choses et autres)

L'Ecole des Beaux-Arts

Dans une boîte de paille tressée
Le père choisit une petite boule de papier
Et il la jette
Dans la cuvette
Devant ses enfants intrigués
Surgit alors
Multicolore
La grande fleur japonaise
Le nénuphar instantané
Et les enfants se taisent
Emerveillés
Jamais plus tard dans leur souvenir
Cette fleur ne pourra se faner
Cette fleur subite
Faite pour eux
A la minute
Devant eux.

La Fête secrète

Au carrefour impossible de l'immobilité
une foule d'objets inertes
ne cesse de remuer de frémir de danser
Et les facteurs du vent
comme ceux de la marée
éparpillent le courrier
Chaque chose sans doute est destinée à quelqu'un ou à quelque
chose peut-être
La plume de l'oiseau
comme l'écaille de l'huître
la croix de la légion d'honneur
comme l'étoile de mer
ou la patte du crabe et l'ancre du navire
la grenouille de fer vert
et la poupée de son
et le collier de chien

Et dans ce paysage où rien ne semble bouger
sauf la bougie du naufrageur dans la lanterne rouillée
c'est la fête secrète
la fête des objets.

Dans les eaux brèves de l'aurore...

Dans les eaux brèves de l'aurore
où les nouvelles lunes et les derniers soleils

A tour de rôle
viennent se baigner

Une minute de printemps
dure souvent plus longtemps
qu'une heure de décembre
une semaine d'octobre
une année de juillet
un mois de février

Nomades de toujours et d'après et d'avant
le souvenir du cœur
et la mémoire du sang
voyagent sans papiers et sans calendriers
complètement étrangers
à la Nation du Temps.

La cinquième saison

Les quatre saisons passent et s'en vont,
la cinquième reste toute la vie.
Lettre de Cornélius Postma

Quatre petits tours et puis s'en vont
Et un cinquième par-dessus le marché
pour les enfants qui n'ont pas demandé pourquoi le manège
tournait

Le peintre est semblable à ces enfants
il ne demande pas raison aux saisons

Furtive étreinte de l'éternité
coup de foudre
L'éclair déshabille l'amour
et la vie s'en empare
pour le plaisir
Et déjà l'amour
la mort le couve du regard.

Tourne la manivelle de satin
chantait Michèle
un beau matin
Tournent
ceux que dérisoirement la romance appelle
les jouets du destin
Tourne l'été de Vivaldi
tourne l'hiver de Varsovie
le printemps de Botticelli
tourne l'automne de n'importe qui
dans les vingt-quatre heures du Mans
Tourne la vie
tourne le temps

Le peintre est un chiffonnier fastueux

Seul au milieu des débris de la vie
comme un sablier sur une plage déserte
il les écoute
les regarde
leur sourit
et met la main sur son cœur
et les peint le cœur sur la main

Revivent alors secrets et triomphants
des objets égarés
des souvenirs éperdus retrouvés tout vivants
les choses de chaque instant
Deux menhirs de pain d'épice
se dressent sur la glace d'un étang
près d'une paire de patins patinés par le temps
Par le temps vital
par le temps spacieux
le bon vieux temps d'hiver et de dimanche prochain
le temps de cochon et de chien
le temps des cerises des banquises
des horloges des girouettes des baromètres

Au loin
de merveilleux petits paysages peints avec une véhémente minutie
disent l'exubérante indifférence des eaux des arbres et des fruits.

Complainte de Vincent

A Paul Eluard

A Arles où roule le Rhône
Dans l'atroce lumière de midi
Un homme de phosphore et de sang
Pousse une obsédante plainte
Comme une femme qui fait son enfant
Et le linge devient rouge
Et l'homme s'enfuit en hurlant

Pourchassé par le soleil
Un soleil d'un jaune strident
Au bordel tout près du Rhône
L'homme arrive comme un roi mage
Avec son absurde présent
Il a le regard bleu et doux
Le vrai regard lucide et fou
De ceux qui donnent tout à la vie
De ceux qui ne sont pas jaloux
Et montre à la pauvre enfant
Son oreille couchée dans le linge
Et elle pleure sans rien comprendre
Songeant à de tristes présages
Et regarde sans oser le prendre
L'affreux et tendre coquillage
Où les plaintes de l'amour mort
Et les voix inhumaines de l'art
Se mêlent aux murmures de la mer
Et vont mourir sur le carrelage
Dans la chambre où l'édredon rouge
D'un rouge soudain éclatant
Mélange ce rouge si rouge
Au sang bien plus rouge encore
De Vincent à demi mort
Et sage comme l'image même
De la misère et de l'amour
L'enfant nue toute seule sans âge
Regarde le pauvre Vincent
Foudroyé par son propre orage
Qui s'écroule sur le carreau
Couché dans son plus beau tableau
Et l'orage s'en va calmé indifférent
En roulant devant lui ses grands tonneaux de sang
L'éblouissant orage du génie de Vincent
Et Vincent reste là dormant rêvant râlant
Et le soleil au-dessus du bordel
Comme une orange folle dans un désert sans nom
Le soleil sur Arles
En hurlant tourne en rond.

Promenade de Picasso

Sur une assiette bien ronde en porcelaine réelle
une pomme pose
face à face avec elle
un peintre de la réalité
essaie vainement de peindre
la pomme telle qu'elle est
mais
elle ne se laisse pas faire
la pomme
elle a son mot à dire
et plusieurs tours dans son sac de pomme
la pomme
et la voilà qui tourne
dans son assiette réelle
sournoisement sur elle-même
doucement sans bouger
et comme un duc de Guise qui se déguise en bec de gaz
parce qu'on veut malgré lui lui tirer le portrait
la pomme se déguise en beau fruit déguisé
et c'est alors
que le peintre de la réalité
commence à réaliser
que toutes les apparences de la pomme sont contre lui
et
comme le malheureux indigent
comme le pauvre nécessiteux qui se trouve soudain à la merci de
n'importe quelle association bienfaisante et charitable et
redoutable de bienfaisance de charité et de redoutabilité
la malheureux peintre de la réalité
se trouve soudain alors être la triste proie
d'une innombrable foule d'associations d'idées
et la pomme en tournant évoque le pommier
le Paradis terrestre et Eve et puis Adam
l'arrosoir l'espalier Parmentier l'escalier
le Canada les Hespérides la Normandie la Reinette et l'Api
le serpent du Jeu de Paume le serment du Jus de Pomme
et le péché originel

et les origines de l'art
et la Suisse avec Guillaume Tell
et même Isaac Newton
plusieurs fois primé à l'Exposition de la Gravitation Universelle
et le peintre étourdi perd de vue son modèle
et s'endort
C'est alors que Picasso
qui passait par là comme il passe partout
chaque jour comme chez lui
voit la pomme et l'assiette et le peintre endormi
Quelle idée de peindre une pomme
dit Picasso
et Picasso mange la pomme
et la pomme lui dit Merci
et Picasso casse l'assiette
et s'en va en souriant
et le peintre arraché à ses songes
comme une dent
se retrouve tout seul devant sa toile inachevée
avec au beau milieu de sa vaisselle brisée
les terrifiants pépins de la réalité.

Dans ce temps-là . . .

. . . Parfois la lanterne magique des peintres tourne comme un moulin et c'est toujours la plus belle eau qui baigne le tableau

Et ce moulin tourne dans le sens contraire des aiguilles d'une montre dans tous les grains contraires du sable d'un sablier et dans toute l'intensité des contraires des cadrans lunaires et solaires

Et les images les dessins les peintures de ces peintres ne se ressemblent pas davantage que les différentes gouttes d'eau d'une vague jamais pareille à l'autre dans un raz de marée ou les dernières gouttes d'une citerne dans un désert abandonné ou celles d'une rivière d'un lac d'un mascaret

Ou celles des écluses du Louvre quand on entend la trompette de Géricault annonçant nuit et jour aux naufragés l'ouverture et la fermeture du musée sur une mer d'huile de palettes de pinceaux et de très beaux os de seiches appelés couteaux des oiseaux
Mais tout près et très loin les uns des autres ces peintres sans autres liens de parenté que l'amour de ce qu'ils aiment et qui malgré tout les réunit font bon ménage ensemble et même se reconnaissent comme de très vieux et de très jeunes amis
Et sans le plus souvent prêter la moindre attention au talentueux manège des critiques d'art d'aujourd'hui d'avant-hier et de dorénavant qui la boussole en poche le métronome sur table et le thermo-critère en main cherchent le pouls de la peinture dans la tête du peintre qui s'aventure inconsidérément devant l'entrée des artistes de leur très savante et très dialectique ménagerie...

... Mais les piètres figures de contredanse de la squelettique esthétique de ces pauvres scribes accroupis marquant le pas de l'ignorance instruite dans le faux trépidant cortège de la connaissance picturale musicale et monumentale n'empêchent pas la Danse d'être une danse ni la Peinture d'être une musique ou même le portrait d'un rêve
quand ça lui chante
quand ça lui plaît

Et c'est pourquoi au Moyen Age on peut entendre encore
le poisson de feu d'une horloge
jouer du violon pour deux amoureux
sur la rive bleue d'une rivière bleue
et sur une toile de Chagall
pas très loin d'un coq rouge et d'un musicien vert
comme on peut dès maintenant
en 1911
voir une vache que l'on trait dans la mémoire d'une vache
C'est la même vache bien sûr
mais elles n'ont pas le même moyen âge
Et qui pourrait dire l'âge moyen ou canonique de ce violoniste qui en 1908 jouait sur le toit d'une isba et dans un château en

Espagne en Russie pour un homme couché mort au milieu d'une rue avec les grands bougeoirs de cuivre de ses dernières trente-six chandelles
Et sans doute que ce violoniste était ivre et qu'il trinquait à la santé du mort qui ne s'en portait pas plus mal et qu'il chantait pour bercer la voix d'une femme qui jetait à tire d'aile ses pauvres bras d'oiseau dans le ciel de la nuit
Et l'on peut les entendre aussi
comme on entend le violon de Chagall
en regardant les Contes de Boccace
si on a des yeux pour entendre
au lieu d'une oreille pour se taire
Et cela n'importe où et quelque part ailleurs
Et par exemple à La Havane on entend très bien dans une maison d'Hemingway des pas sur un chemin traversant une petite ferme de Miró
Ou dans la fumée d'une poterie de Vallauris l'Oiseau de feu de Stravinsky appelant le Minotaure aux fins fonds de la Grèce pour qu'il vienne chanter à Grenade accompagné par la guitare de Picasso Au Clair de la lune mon ami Piero di Cosimo et berce dans le désert de Mayenne avec au fond le même soleil du Cœur Epris les rêves du douanier Rousseau près de sa bohémienne endormi
Et le coup de feu du vent de la vallée du Rhône qui souffle
En même temps
sur le chapeau de Vincent à Auvers-sur-Oise un dimanche le 28 juillet 1890 les derniers feux follets de l'aurore et les premières bougies de la nuit.

Le Verre blanc porte bonheur

Le verre blanc porte bonheur
quand il est rempli de vin rouge
et quand il redevient tout blanc
dedans tout un univers bouge
Oh temps joli compère
compère de mauvais temps

Oh joli temps qu'on perd
et qu'on gagne en même temps
voilà bien de tes tours
On arrive d'où
on ne sait pas
Et l'on s'en va de-ci de-là
dans l'eau d'ici
dans l'au-delà
l'au-delà de qui
l'au-delà de quoi
Et si l'on tombe au fond d'un puits
la faute à quoi
la faute à qui
Et puis au fond du puits
la buée haletante du mensonge
ne ternit pas la lumière du jour
sur le miroir de la nuit
et la beauté toujours berce
et réveille en plein soleil
la vérité trop souvent endormie
et lui chante en couleurs
les échos de la vie

Oasis Miró

Des oiseaux jaune fou vêtus de noir brûlé
dans un ciel noir désert
volaient

Vert Vert
Garcia Lorca chantait
Astre de cuivre rouge son coeur les attirait

Est-ce la faute de la lune
les larmes sont salées
et les plus fines lames de la mer
viennent se briser comme verre
sur le plus tendre des rochers

Les larmes sont salées
est-ce la faute de la lune
qui régit les marées.

Miroir Miró

Il y a un miroir dans le nom de Miró
parfois dans ce miroir un univers de vignes de raisins et de vin

Tache solaire
jaune d'œuf précolombien
l'oiseau tonnerre roucoule dans le lointain

Ivre déjà depuis midi
entraînant avec lui la nappe du matin
le soleil noir s'écroule dans la cave du soir

Pénombre grise et ombre déportée
rouge fracas du vert brisé

La blanchisseuse veuve qu'on appelle la nuit
surgit sans bruit
et dans le bleu de sa lessive
l'astre à Miró
l'étoile tardive
luit...

Fêtes de Calder

Mobile en haut
Stabile en bas
telle est la tour Eiffel
Calder est comme elle.

Ciseleur du fer
Horloger du vent
Dresseur de fauves noirs
Ingénieur hilare

Architecte inquiétant
Sculpteur du temps
Tel est Calder...

Varengeville

Braque
à quoi pensait-il
à quoi songeait-il
devant la mer
ce modèle nu

Sombres nuages salés
Grèves ensoleillées
Squelette de charrue
épave de la terre
et carcasses de barques
décombres de la mer

Et marine à la mouette
Et oiseaux dans les blés

Chaque petite toile est un grand tableau
la mer entière est dedans
proche lointaine
toujours très loin
si près tout le temps

La mer comme la peinture
est une société secrète qui n'annonce pas ses couleurs
Braque ne joue pas avec elles
Il n'est pas joueur
il les interprète
les donne en spectacle gravement
intensément
originellement...

Varengeville
la mer
celle de Braque qu'on appelle la Manche et sans ombre ni lueur de
doute sa préférée
En Provence il parlait des lucioles ou du Mistral qu'il estimait
mauvais
mais quand il évoquait la mer ce n'était pas la Méditerranée
Manche
Mer océane

Sombre noir strident
Frangé de vert bouteille
un mur se dresse s'écroule déroule aux pieds du peintre un tapis
écumant
et Braque un peu de cette écume dans le creux de sa main
Regarde longuement cette couleur de vague
cette couleur de rien...

Etoile de mer
et toiles de Braque
la mer étoilée
la mer entoilée
Secrets échangés
beauté divulguée

Le soleil se couche sur la mer
la mer lui fait un enfant
un enfant lumière
dans la nuit polaire
dans le jour ardent

Marines de Braque
rouges éclaircies du bleu ciel noir
lames de vert
ocre terre
la mer est lavandière la grève est son lavoir

C'est comme ça à Varengeville...

Eau...

Eau
eau des jets d'eau
eau des miroirs d'eau
eau des viviers des fleuves des ruisseaux des éviers et
des bassins des hôpitaux
eau des puits très anciens et des pluies torrentielles
eau des écluses et des quais de halage
eau des horloges et des naufrages
eau à la bouche
eau des yeux grands ouverts sombres et lumineux
eau des terres de glace et des mers de feu
eau des usines et des chaudières
des cuisines et des cressonnières
eau douce des navires eau vive des locomotives
eau courante
eau rêveuse vertigineuse
eau scabreuse
eau dormante réveillée en sursaut
eau des typhons des mascarets des robinets des raz de marée des
lames de fond
eau des carafes sur les guéridons
eau des fontaines et des abreuvoirs
Eau
quand tu danses à Londres en été dans le noir
tes feux follets racontent une si triste histoire
une si vieille histoire comme la Tamise en raconte aux enfants

Feux follets d'Ophélie
Folie du pauvre Hamlet
Dans un ruisseau de larmes
une fleur s'est noyée
Dans un ruisseau de sang
le soleil s'est couché
quelque chose de pourri voulait le consoler.

Le langage dément...

Le langage dément dément le langage savant
Le langage savant ça vend des idées

Brocanteurs d'idées
receleurs d'idées
Quand l'art est de rigueur
l'art est nié.

Les Douze demeures des heures de la nuit
(Seconde naissance d'Osiris)

Mots polaires découverts par n'importe qui et la vraie langue du soleil qui vient vous lécher à minuit.
Dans ces demeures allumées la porte ouverte aux demeurés et le langage populaire méprisé pour toutes ses merveilles déliées et délivrées.
La langue tout le temps nouvelle-née.
Le vert bavoir du verbe avoir et tous les langes du faux-savoir en une nuit-lumière arrachés.
La langue enfant sauvage et vraie.
L'ignorance savante et troublante qui dit d'un homme surraisonné hurlant en plein jour tous les jours les trois fois quatre douze vérités des deux fois six douze demeures de la nuit illuminée:
il y a une araignée dans le plafond!

Sans savoir du grec Arakné
sans avoir pu voir la dure pie
la dure mère
geôlières des cellules à idées de la boîte aux rêves cadenassée.

Enfant, sous la Troisième...

Enfant, sous la Troisième, j'habitais au quatrième une maison du dix-neuvième.

L'eau était sur le palier, parfois le gaz était-coupé et souvent les encaisseurs de la Semeuse cognaient à la porte en tripotant leur petit encrier, mais il y avait toujours, dans la rue ou dans la cour, quelqu'un qui faisait de la musique, quelqu'un qui chantait.

C'était beau.

Des fenêtres s'ouvraient, une grêle de sous enrobée de papier giclait, dansait sur le pavé.

Bien sûr, depuis longtemps, comme la Grande Armée, l'Opéra avait son avenue, mais la chanson avait pour elle toutes les rues, les plus amoureuses, les plus radieuses, comme les plus démantelées, les plus scabreuses et les plus déshéritées, comme les plus marrantes, les plus éclatantes de gaieté.

Aujourd'hui, les chanteurs des rues sont interdits de séjour, mais un peu partout, oasis de pierre tenace et de bois vermoulu, d'oiseaux des villes et de fleurs urbicoles, se dressent encore, intacts et têtus, les très somptueux décors de la féerie des rues.

Et comme le cri des cœurs tracés au couteau sur les murs, avec entrelacés les prénoms de l'amour, le chant secret des rues se fait entendre en chœur, comme au plus beau de tous les anciens jours.

Chants de la rue de la Lune, de la rue du Soleil et de la rue du Jour.

Refrains du passage des Eaux,
de la rue de la Source, de la rue des Cascades,
de la rue du Ruisseau
et de l'impasse Jouvence et de la rue Fontaine
et du Dessous des Berges
et de la rue Grenier sur l'Eau

et des Ecluses et des Etuves Saint-Martin
et de la Grosse Bouteille
de l'Abreuvoir, du Réservoir
et des Partants et du Repos.

Rondes de la Place des Fêtes, de la rue des Fillettes
et de la rue des Ecoliers,
de la rue des Alouettes, de la Colombe,
des Annelets.

Comptines de la rue du Renard et de la rue aux Ours et
de la rue des Lions,
de la cité Jonas et de l'impasse de la Baleine.

Romances du passage des Soupirs et du passage Désir
et de l'impasse des Souhaits
et de l'impasse Monplaisir et de l'impasse de l'Avenir.

Rengaines de la rue Bleue, du passage d'Enfer et
de la rue de Paradis.

Litanies de la rue Dieu,
de l'impasse des Prêtres, de la rue Pirouette et de l'Ancienne
Comédie.

Complaintes de la rue du Chevalier de la Barre
et de la rue Etienne Dolet
et de la rue Francisco Ferrer,
de la rue Sacco et Vanzetti à Bagnolet.

Goualantes de la rue des Brouillards et de la rue du Roi Doré,
de la rue Simon Le Franc et de la rue Aubry le Boucher où se
promenait jadis Liabeuf le Petit Cordonnier dont la tête un beau
jour roula sur les Marches du Palais.

NOTES TO THE POEMS

These notes are primarily intended to explain cultural references and to draw attention to words and phrases used by Prévert in an unusual or particular way. In addition students are recommended to consult the Collins-Robert dictionary.

page

39 **Ministère de Ludique-Action-Publique**: a play on the term 'Ministère de l'Instruction Publique': the adjective 'ludique' has been added to stress the basic importance of play in the learning process.
la tête bourrée: crammed with facts and notions.

42 *Refrains enfantins*

le loup garou: The memory of the werewolf present in traditional folk-tales such as 'Little Red Riding Hood' has haunted popular imagination for centuries; it is recalled in the French nursery rhyme 'Promenons-nous dans les bois', which inspired this piece. The little girls protest with feminine logic against the predominance of the masculine viewpoint in the language.

43 *Jour de fête*

Il pleut il mouille... c'est la fête à la grenouille: This French nursery rhyme is a pretext for the poet to point out the repressive attitude of parents. Children love walking in the rain and playing with creatures like frogs, actions not encouraged by parents.

page

43 **il nous en fera voir De toutes les couleurs:** he will cause us a lot of trouble.
L'arc-en-ciel le fait bien: play on the preceding expression, which is here taken literally.
Cet enfant n'en fait qu'à sa tête: this child is headstrong, has a will of his own.

44 *Etre ange*

en haussant les ailes: on the model of 'hausser les épaules' (to shrug one's shoulders).

45 *L'Etoile de mer*

danseuse étoile: a starfish; it is also compared here to a 'danseuse étoile' (a *prima ballerina*), and the youthful member of the *corps de ballet* ('un petit rat de l'Opéra'). Also an allusion to Man Ray's film of the same name, for which Robert Desnos wrote a poem.

45 *Les Animaux ont des ennuis*

A Christiane Verger: This poem was dedicated to the composer who wrote a very witty musical setting for it (Editions Raoul Breton, 1936). A large part of the poem's humour rests on the illogicalities of French spelling and pronunciation. The same phonemes are spelt differently: '*scie*' and 'sou*cis*'; conversely, different phonemes are given the same spelling, as in 'sole' (soft 's') and 'desole' (voiced 's'); cf. play on 'l' and 'll' in 'grenouille'.
leur tirelire: their money-box.

46 *L'Orgue de Barbarie*

jouer de l'orgue de Barbarie: to grind the barrel-organ. Also a pun on 'barbarie' taken literally: barbarism; barbarousness.
le biniou: Breton bag-pipes.
jouer du couteau: to play jack-knives.
à chat perché: to play 'off the ground', long tag.
au gendarme et au voleur: cops and robbers.

page

47 **jouer à l'assassin**: to play murderers, an expression coined on the model of the preceding list of games, implied in 'barbarie'.

48 *Chanson des escargots qui vont à l'enterrement*

prendre la peine: take the trouble to.
prendre le deuil: to go into mourning.
chanter à tue-tête: to sing very loudly, to sing oneself hoarse. Also a play on 'tuer' (to kill) taken in its literal meaning.
trinquer: to clink glasses.

49 *A Paris...*

The poem is made up of ordinary expressions with 'parler' and 'parler de' and of new ones coined by Prévert on the same model but with different aims. When he refers to high society, the new expressions are used derisively, and when referring to the child they are created out of poetic wonder.
le Tout-Paris: Paris high society, also referred to as 'le grand monde' at the end of the text.
messieurs hauts de forme et bas de plafond: wearing top hats but having only limited mental powers. A scathing comment on the limitations of high society people whose outward appearance is meant to impress.
parler pointu: to talk with an affected accent.
parle grand nègre: distortion of the expression 'parler petit nègre': to talk pidgin French.
et petit patapon: part of the refrain of a children's song, used here in a totally new way by Prévert as if referring to 'pidgin', or language exclusively spoken by children.
parle diable... parle odieux: play on words based on near homophones, the adjective 'odieux' and the noun phrase 'au(x) dieu(x)'. Also a play on the contrast between 'diable'/'dieu'.
parle rêve et parle vrai: The words 'rêve' and 'vrai' are made up of similar sounds in a different order, thus reinforcing a basic identity perceived at least by Prévert, for whom 'rêve' and 'vérité' are, as the surrealists believed, one and the same thing.
parle fer et parle feu: homophones of 'par le fer' and 'par le feu'.

page

50 **dans les images innées de son langage imaginaire**: telescoping of 'imaginé' (imagined) into 'images innées' (innate, instinctive images) and reinforced by 'imaginaire' (imaginary, made up). The new language made up by the child is not the product of a superimposed rational process; it is created instinctively through images suggested by his deepest natural needs.

51 *Arbres...*

Trêve verte de l'été: a truce, a moment of respite and growth in nature.

51 *Les Enfants exigeants*

Pères regardez-vous à gauche... à droite: a deliberate misquotation of the historic words pronounced by Prince Philippe, younger son of the French King Jean le Bon, at the battle of Poitiers in 1356: 'Père, gardez-vous à gauche, père, gardez-vous à droite'. The meaning is altered to suit the poet's aims; 'gardez-vous' is changed into 'regardez-vous': look at yourselves, fathers, as you stand, with your political opinions either 'leftist' or 'to the right'.
regardez-vous dans la glace: used here in the figurative sense of: you are in no position to give us orders or advice, cf. the pot calling the kettle black.
et regardez-nous en face: and face us squarely without any evasion or excuse.

52 *Dressage*

le dressage: the training of a horse for performance by repeated disciplinary exercises.
plié en deux par le fou-rire: doubled up with uncontrollable fits of laughter.
le redressement: literally to unbend, to straighten up. Also used figuratively here. Hence 'maison de redressement': a Borstal, a reform school.

page

52 **Et ça ne doit pas faire un pli:** literally: there should not even be a crease left. Taken in its more usual idiomatic sense it means there's no possible discussion, so that's that.

52 *La Classe hantée*

le spectre scolaire: deliberate play on words: 'le spectre solaire' (the solar spectrum). The spectre of school looms up!

52 *Force de frappe*

Force de frappe: a force of dissuasion. During de Gaulle's term of office as President of France, the Defence Ministry put forward the concept of a French nuclear force of dissuasion.
frapper: in using this verb in its two senses, to beat, and to strike coins, Prévert stresses a causal link between brutality in dealings with individuals and in social and environmental issues and in the waging of war by world leaders for possible financial gain.

53 *Page d'écriture*

ne font ni une ni deux: 'clear off smartly'.

54 *Paris, 1907, rue de Vaugirard*

c'est pas Ancenis ni Mettray: Ancenis: a Roman-Catholic boarding school for boys noted for its strict discipline. Mettray: a Borstal institution for juvenile delinquents.
les cris du vitrier: Glaziers walked the city streets carrying new window-panes on their backs, calling their wares as they went.

55 *Souvenirs de famille*

Prévert juxtaposes a number of cultural notations from history, geography and literature supposed to be part of the intellectual equipment of a primary school child of the early 1900s. He deliberately misquotes them and intersperses them with elements of Catholic liturgy. He is suggesting that these notions, mostly acquired by rote-learning, make little sense in

page

a child's mind and are constantly distorted.

55 **Les oiseaux... cloués sur les portes des granges:** in country districts, birds are nailed on to barn doors as a warning to other birds not to come inside and eat the seeds.

Jésus-Christ tombe: one of the Stations of the Cross in the Catholic church.

le Roi Soleil: Louis XIV, who called himself the Sun King.

le pélican lassé: a pelican symbolically used by Musset in his poem 'La nuit de mai'.

le général Dourakine: a famous character in la Comtesse de Ségur's stories for children.

le Petit Chose: a novel by Alphonse Daudet published in 1868, recounting the tribulations of its young hero.

Blanche de Castille: a wise and enlightened Queen of France (1182–1252), the mother of St Louis. She acted as regent during his childhood and on his later voyage to the Crusades. Also derisively referred to by Prévert as 'Clanche de Bastille'.

le petit tambour Bara: a child hero of the French Revolution.

le Fruit de nos entrailles: the fruit of our womb; a deliberate misquotation of the 'Hail Mary' prayer: 'le Fruit de vos entrailles', which refers to Jesus as the son of Mary.

l'asthme de Panama et l'arthrite de Russie: play on words, 'l'isthme de Panama' and 'la retraite de Russie'.

il ouvre un large bec et laisse tomber le fromage: an allusion to La Fontaine's fable 'Le Corbeau et le Renard' with a misquotation of the second half of the line, 'laisse tomber sa proie'.

pour réparer des ans l'irréparable outrage: a quotation from Racine, *Athalie*, II, 5 – to mend the irreparable damage caused by age.

le nez de Cléopâtre dans la vessie de Cromwell: a quotation from Pascal relating to Cleopatra and a historical fact concerning Cromwell are jokingly juxtaposed by Prévert. Pascal wrote: 'Le nez de Cléopâtre, s'il eût été plus court, toute la face du monde aurait changé'. Prévert's joke about Cromwell's bladder is based on the fact that he suffered from kidney stones.

page

56 *Les Belles Familles*

Les Belles Familles: This expression is used ironically to refer to the Bourbon dynasty which reigned over France for several centuries until 1824, when Louis XVIII died childless.
plus personne plus rien: is not altogether correct since Louis XVIII was succeeded by his brother Charles X in 1824. However there were no more Bourbon kings of France named Louis after 1830. Louis-Philippe I (1830–48) belonged to the Orléans branch of the family and Louis-Napoleon III (1851–70), a nephew of Napoleon I, was not related to them.
qui ne sont pas foutus... jusqu'à vingt: who are not even able to count up to twenty.

62 *Inventaire*

un raton laveur: a racoon; probably selected by the poet because it is a very inquisitive animal which is often found nosing about in dustbins.
la fleur qu'on appelle souci: the marigold.
un receveur des contributions: a tax-collector.
un rein flottant: a floating kidney.
un strapontin: a folding seat.
une Mater dolorosa: a painting of The Virgin Mary as Mother of Grief; named after a quotation from the Catholic prayer *Stabat mater dolorosa.*
deux chèvres de Monsieur Seguin: a humorous addition to Alphonse Daudet's story *La chèvre de M. Seguin.*
un face-à-main: a lorgnette.
un mois de Marie: the month of May dedicated to the worship of the Virgin Mary in the Catholic Church.
deux pierres à briquet: two flint stones.
un veau marengo: veal cooked in a wine sauce, a recipe thought to have been invented on the battle-field Marengo, in Italy, during the Napoleonic Wars.
un soleil d'Austerlitz: brilliant morning sunshine which cleared the fog and helped Napoleon I in his famous victory over the Austro-Russian armies at Austerlitz on 2 December 1805.

page

64 **eau de Seltz**: soda water.
un grand pardon: a Catholic processional pilgrimage in Brittany.
deux soeurs latines: France and Italy.
dont quinze de cellule: fifteen days in solitary confinement.

64 *Un jour...*

le marché aux oiseaux et le marché aux fleurs: the Paris bird market and flower market situated close to the Inns of Court and the Police Headquarters.
d'antan: of yester-year.
des miroirs à alouettes: literally, decoys; figuratively, lures.
en la tençant du doigt avec aménité: scolding her gently.

66 *Pater Noster*

Pater Noster: Latin title of the prayer 'Our Father'.
les mystères de Paris: literal meaning; also refers to a popular novel with the same title written by Eugène Sue in 1842–3.
celui de la Trinité: the theological mystery of the Holy Trinity.
Ses bêtises de Cambrai: a type of sweet originally made in Cambrai, northern France.

67 *La Nouvelle Saison*

Une lune bonne enfant: a kindly moon.
Qui ne le reconnaissent ni d'Eve ni d'Adam: not to be acquainted with someone, not to know someone from Adam.
Gros Saint Jean comme devant: intrusion of 'Saint' into the phrase 'gros-Jean comme devant' which means losing one's illusions, realizing one's situation.

68 *Chanson dans le sang*

Note the incongruity of the juxtaposition of 'chanson/sang' presented in the most direct physical terms as a fitting testimony of 1936, a year of social strife in France and the beginning of the Spanish Civil War. The repetition of 'tourner' and 'le sang' creates a refrain in this lament.
drôle de soulographie: a strange kind of drinking party, a funny

page

way of getting drunk.

68 **tourner de travers:** to turn the wrong way.
elle s'en fout: it couldn't care less.
les cabanons: colloquial term for mental homes.
le couvreur: the tiler.
le sang des matraqués: 'une matraque' is a truncheon – the blood of those who are cudgelled or beaten up.
sang caillé comme le lait quand il tourne: curdled blood gone sour.

70 *La Batteuse*

ils l'ont renversée: a play on the verb in its sense: to spill; an expression also used in cooking when we talk of an upside-down cake.
ils ont claqué les portes et les fesses des femmes: they've slammed the doors and slapped the women's bottoms. The same verb is colloquially used in these two expressions. Prévert juxtaposes two usages to suggest the workers' mechanical violence to things and people.
ils se sont donné un coup de main/ils se sont rendu des coups de pied: they've lent each other a hand/they've kicked one another. Prévert insists on the double contrast of 'coup de main', used figuratively and 'coup de pied', used literally, and of 'donné' (to give) and 'rendu' (to give back, to return), both used in a literal sense.
ils ont poussé la romance: they've sung their piece, with a play on 'pousser' (to push) taken literally.
la carafe d'eau frappée: ice-cold water, with a play on 'frapper' (to strike).
ils ont battu la campagne: literally, to roam the countryside and figuratively, to rave and rant.
moulu: past participle of 'moudre' (to grind).
fourbu: tired out, exhausted.

71 *Chanson des sardinières*

A protest song composed for the *Groupe Octobre*'s perform-

page

ance in Brittany in 1935 and included in their satirical sketch *Suivez le druide.*

71 **sardinières:** girls working in the sardine canneries.

72 *Le Cauchemar du chauffeur de taxi*

un drôle de boulot: a funny kind of job.
un bottin: a telephone directory which like the taxi-driver's head is full of addresses.
comme un plan du métropolitain: like a map of the tube or underground network.
le Grand Prix: the top horse-racing event of the year at Longchamp in the Bois de Boulogne.
le pince fesse: a sleazy bar or dance hall.
taxi pour la grande guerre: the poet alludes to the 'taxis de la Marne' episode of the 1914–18 war, when all motorized vehicles, taxis included, were requisitioned by the army to take reinforcements to the front.

73 *Chasse à l'enfant*

Another protest song dedicated to Marianne Oswald, a famous singer of popular songs in the 1930s. It is based on a real incident, the escape of juvenile delinquents from a reform school in Belle-Ile-en-mer.
Voyou! ... Chenapan!: Hooligan! ... Scoundrel!
la meute: usually a pack of hounds; used here to decry so-called right-thinking people.
une bête traquée: a wild creature hunted down.
les rentiers: people who do not have to work because they can live off their investments.
sont bredouilles: return empty-handed.

74 *Chanson de l'eau*

The lyrics of one of the three songs composed by Kosma for the film *Aubervilliers* produced in 1946 by Elie Lotar and

page

Prévert. Aubervilliers is a poor industrial suburb north of Paris where factory workers live and work in sub-standard conditions. Water running along the gutter rushes away from Aubervilliers to the countryside and carries with it the workers' dreams of escape to nature.

75 *La Grasse Matinée*

The title of this piece is used derisively on two levels. 'Faire la grasse matinée' means to have a lie-in in the morning and can also mean to have good returns from a morning's work.
un comptoir d'étain: a tin counter in a *bistro.*
la glace du grand magasin: the shop window of Potin, a chain of food stores.
une tête de veau . . . avec une sauce au vinaigre: a French dish made from the meat of a calf's head dressed with oil and vinegar.
se paye sa tête: makes fun of somebody; also used here in a literal sense.
flics: cops.

77 *Tentative de description d'un dîner de têtes à Paris—France*

ceux qui soufflent vides les bouteilles . . . pleines: glass-blowers who make empty bottles which others will empty when full.
ceux qui crachent leurs poumons: those who cough up their lungs.
le pain quotidien relativement hebdomadaire: daily bread on a weekly basis.
le suisse: verger in the Catholic Church.
défiler devant l'Arc: to parade before the Arc de Triomphe with the rank and file.
qui ne savent pas se tenir: those who have no manners.
voués au bleu horizon: a derisive way of saying that the under-privileged are prospective cannon-fodder and will wear the 'sky blue' uniform devised for the infantry in the First World War.
ne se sont pas baissés pour ramasser l'épingle: According to

page

bourgeois ethics, poor people deserve to remain poor unless they are prepared to make the most stringent economies.

78 *Suivez le guide suivez le guide*

A bitterly ironic piece on the fate of the old workers who find an occasional resting-place on street benches. The poet urges the passing tourists to look at these derelict human monuments who are treated with little consideration by society.
d'ampoules aux mains: with blisters on their hands.
pour les instantanés: for the snapshots.

79 *Il ne faut pas...*

Applied by Prévert with biting irony to a class of society for which he had little sympathy.
S'érigeant... Un auto-monument: erecting a monument in self-glorification.

80 *Escales*

Il a jeté son encre: play on the homonyms 'encre' (ink) and 'ancre' (anchor). Following the initial pun on the nautical expression 'jeter son ancre', to cast ones anchor, Prévert obviously makes up the names of the supposed islands visited by the traveller he is deriding and spells them phonetically.

80 *Et d'autres dans d'autres rues s'en vont...*

font marcher le commerce comme... marcher: play on various senses of the colloquial expression 'faire marcher'; they help trade along by patronizing it while trade is having them on.
à la baguette: to expect immediate obedience.

87 *Et ta soeur?*

A colloquial expression which means mind your own business,

page

or who asked you anything? Here Prévert also uses it literally in the sense of what about your sister?

88 *Chant song*

In this piece and in *Hyde Park*, p. 90, *Entrée*, p. 95, *Oh Folie*, p. 96 and *Eau*, p. 126, Prévert attempts bilingual puns, playing with English and French sounds and words. This is an entirely bilingual poem, though some of its puns will only work for a French ear and eye. It tells a love story and ends with a play on homonyms; 'T'aime tant' (love you so much) is close to 'time temps' for Prévert. 'Tant' renders the intensity of feeling while 'temps' suggests both desire for an enduring love and fear of the effects of time on it.

91 *Sanguine*

Une sanguine: is a Spanish blood orange and a red-chalk drawing. Prévert endows these meanings with tender erotic overtones in this sketch.

92 *Sables mouvants*

This is the first of Gilles's love-songs from the famous Prévert-Carné film *Les Visiteurs du soir*, 1942 (see his second song p. 93). It is in perfect harmony with the plot of the film which deals with the power of human love over the Devil's blandishments and magic charms. This explains the initial pun.
Démons et merveilles: a play on the well-known phrase 'promettre des monts et merveilles' which means to promise someone the earth.
Vents et marées: 'contre vents et marées': against wind and tide, or against all opposition.

94 *Les Ombres*

de la même portée: of the same litter.

page

95 *Entrée Entrance...*

A low-key realist piece set in Piccadilly Circus at night with prostitutes and shady characters offering their wares.
c'est la rengaine: it's the same old story.
A quoi bon te casser la tête: why bother?
Auguste et Narcisse: names of traditional circus clowns brought in by Prévert's play on 'circus' in Piccadilly Circus.
vêtu de haillons... bien coupés: dressed in well-cut rags.
sous le manteau: under the counter or, to preserve Prévert's pun, under the mantle.

96 *Oh Folie...*

Hamlet's problems and Ophelia's madness are skilfully brought together in this evocative poem. In the refrain, the poet plays on the sounds contained in the French translation of Ophelia's name, 'Ophélie', and gives his own version of their dramatic failure. According to him, Hamlet is a prisoner of his mental condition (boîte crânienne, cage cérébrale, barreaux') – responsible for Ophelia's fate (see also ll. 27 – 8 in *Eau*, p. 126).

99 *Aux grands ogres*

Aux grands ogres: an ironic reference to 'grands hommes'. In Prévert's view, great men literally feed on their fellow-countrymen when they save the fatherland ('la patrie'). He was thinking of Foch, Joffre, Pétain and Clemenceau.

101 *Sur le champ*

Sur le champ: action at the double! Prévert is punning on the two senses of the expression, which means both straight away and on the battlefield.
Empêtré dans les draps du rêve: shrouded and tied in the sheets of dreams.
un costume de planches c'est l'habit réglementaire: regulation dress is a wooden box.

page

101 **faire mon devoir**: to do my duty/to do my homework.
le casse-pipe: a colloquial expression for war or fighting. In colloquial French 'pipe' also means one's head. So to preserve the puns on 'pipe' and 'calumet' (pipe of peace), this tentative rendering of knocking people's brains out may be considered; and for the succeeding lines: I just like knocking out my pipe, just for number one.
j'y tiens: it's very dear to me.

103 *La Crosse en l'air*

... des militaires italiens: In this extract from his violent anti-clerical pamphlet *La Crosse en l'air*, Prévert gives us a verbal newsreel of 1935–6, concentrating here on the Italian invasion of Abyssinia. He denounces the double standards of the practising Catholics in Italy and their supposed enthusiasm for the barbarous war waged by Mussolini's modern armies against the primitive Ethiopian tribesmen. He stigmatizes in particular the ferocious air-raids on the civilian population.
il en aura pour son argent: he'll get his money's worth.

104 *Tout s'en allait...*

This is a powerful description of an air-raid – almost a nuclear explosion – and the ensuing destruction in terms of lives and environment. The last four lines of the piece are in direct stylistic contrast with the rest of the text and effectively stress Prévert's point. War brings utter chaos, and discoveries made in the name of progress will bring even greater devastation; yet scientists will conscientiously and methodically experiment with the disintegration of matter, and living matter at that.
ne rêver que plaies et bosses: to enjoy quarrelling, always to be ready for a fight.
torréfié: roasted (for coffee); scorched.
profits et pertes: profit and loss, as on a balance sheet.
calciné: charred.

page

105 *Barbara*

One of Prévert's most famous songs, which, he said, 'commemorates all cities destroyed by war – not only Brest but Dresden or Hamburg – and the memory of all lovers parted by war'. One rainy night in the streets of Brest, site of the naval dockyards ('l'arsenal'), the poet caught sight of two lovers sheltering under a porch: the man called out the girl's name, 'Barbara', and happy and soaked with rain she rushed to his arms. Now, after the war and destruction of Brest, what has become of Barbara and her lover? Have they survived or disappeared? 'In the downpour drowning Brest, clouds float away to rot a long way away from Brest of which nothing remains.'
Ouessant: the most western island off the coast of Brittany.
Qui crèvent: play on the two meanings of the word 'crever', to burst and to die.

107 *L'Ordre nouveau*

The title of this piece is borrowed from Marshal Pétain's words in his various radio messages to the nation after signing the armistice with Germany and becoming the leader of the French State. He believed that France could only survive as a nation within the framework of Hitler's New Order for Europe, and that he, aged eighty-four, could bring it about. Prévert strongly disagrees with this and gives us a symbolic example of Franco-German collaboration in realistic terms. A young woman is murdered by one of Hitler's storm-troopers in the name of the so-called New Order while an ancient general continues to smile in senile self-confidence.
gît: verb 'gésir' which is only used in the third person singular.
son poignard dans sa gaine: he puts his dagger back into its scabbard.
Lily Marlène: refers to a nostalgic German love song composed in 1938 by Norbert Schultze, with lyrics by Hans Leip. It was very popular with the German army and was translated into English. Marlene Dietrich made the English version popular.

page

108 *Le contrôleur*

The familiar sight of a bus conductor and the language he uses at rush-hour times give the poet a chance to expose the view held by some, namely that population control is never achieved better than by war.
Pressons: hurry up, step on it.
Voyons pressons: get a move on. The repetition of 'pressons' leads to 'Pressons sur la gâchette', press the trigger, an unexpected play on words in the context of the big city rush-hour, but necessary to introduce the central theme of the text.
Il faut qu'il y en ait pour tout le monde: there must be room for everyone.
Un petit tour et on s'en va: just a short trip and you're off. An echo of the children's rhyme 'Ainsi font font font les petites marionnettes...'.

109 *Câble confidentiel...*

Prévert assesses the international situation in the early 1950s in this pseudo-confidential cable. The telegraphic style adopted helps him to satirize what he describes as the official policy of nuclear powers.
Que voulez-vous: an expression which conveys one's regrets for failure; something like 'well, what did you expect?... sorry...'
cogner tête contre muraille du son: slight distortion of two expressions, 'se cogner la tête contre les murs', to bang one's head against the wall, and 'le mur du son', the sound barrier. 'Une muraille' gives the impression of a very thick and high wall preventing any attempt at communication.
Amis héréditaires: distortion of the expression 'ennemis héréditaires' which refers to the English.
Ennuis de nos amis sont aussi nos amis: the proverb runs: 'les amis de nos amis sont aussi nos amis'.
Malle des Indes: the Indian mail – expressed in the telegraphic style which cuts out articles and helps the play on homonyms: 'la malle/le mal', (the disease of India). It is reinforced by the

page

dual meaning of 'en souffrance': (1) suffering; (2) at a standstill, pending decision.

109 **sommeil valises diplomatiques:** diplomatic bags having a rest.

Industries des Réveils: a sarcastic expression coined by Prévert with varied play on the word 'réveil', an alarm-clock; 'le réveil', reveille. Both contrast with the preceding mention of 'sommeil': sleep. Used in the plural, these words indicate that national propaganda machines are ready to encourage military action, as in the preceding two world wars; 'national industries of clocks ready to sound the alarm'.

feu artifice mondial: for 'feu d'artifice'; international fireworks or the threat of a nuclear war.

pour éviter bouquet: to prevent a spectacular atomic explosion.

prime sur le Marché: 'primer', to come first, take precedence on the (financial) market over human lives. Prévert's use of the jargon of high finance in this context reflects his distrust of the capitalist system and ethics which lead to human sacrifice in the name of an undefined 'Intérêt Supérieur'; note the play on these last words.

La Trésorerie: the Treasury or Ministry of Finance.

sera toujours très honoré: a play on the dual meaning of 'honorer' – to honour someone and to honour a bill.

trop d'oeufs dans omelette flambée: an amusing line on a terrifying topic concocted from the proverb 'on ne fait pas d'omelette sans casser d'oeufs'. The culinary expression 'une omelette flambée' is used to describe a nuclear war: 'oeufs' here has the meaning 'human lives'.

111 *Graffiti*

si vous ne le voyez pas d'un bon oeil: play on the literal and figurative sense of this expression which means 'if you do not like what you see', best rendered here by 'if your eye does not like what it sees'.

escamoter: to conceal.

trop laid pour être vrai: Prévert alters the phrase 'trop beau pour être vrai'.

page

111 **son et image:** instead of 'à son image'.
Saint ORTF: Prévert pokes fun at the serious ORTF, 'Office de la Radio Télévision Française', which, according to him, proclaims the 'revealed truths of the Establishment'.

115 *La cinquième saison*

Et déjà l'amour la mort le couve du regard: ungrammatical repetition of the object because the word order is that of spoken French; it should normally be 'et déjà la mort couve l'amour du regard': and already death is looking fondly at love.
L'été de Vivaldi: the second concerto of Vivaldi's *Four Seasons.*
l'hiver de Varsovie: a possible historical allusion to the winter of 1914–15 when there were three successive attacks on Warsaw by the Germans. This could equally refer to a piece known as the *Warsaw Concerto* composed in 1941 by Richard Addinsell for the film *Dangerous Moonlight.*
le printemps de Botticelli: a famous symbolic painting of spring by the Italian Renaissance painter Botticelli.
les vingt-quatre heures du Mans: The famous car race held every year at Le Mans in which every team has to race for twenty-four hours without interruption.
un chiffonnier fastueux: an opulent ragman. This unusual expression coined by the poet qualifies the painter's choice and presentation of subject-matter in his paintings.
le coeur sur la main: an expression meaning 'generously'; word play on the preceding line.
Deux menhirs: two standing stones, relics of Stone Age culture.
le bon vieux temps: the good old days.
le temps de cochon et de chien: both mean very bad weather.
le temps des cerises: cherry-picking time, and here an allusion to early summer in a popular nineteenth-century love-song of the same name.
des banquises: of ice-packs or ice-floes. An expression coined by the poet to suggest the heart of winter as 'cerises' evoked summer.
des horloges: measurable time, that of clocks.

page

116 *Complainte de Vincent*

une complainte: a lament; traditionally, a ballad that tells the story of an unfortunate hero.
Vincent: refers to the painter Vincent Van Gogh (1853–90); see the introduction (pp. 22–3) for further details on his life and this poem.
A Paul Eluard: one of the greatest twentieth-century French poets (1895–1952), acquainted with Prévert, who shared with him a love of painters and of left-wing views. He played a leading role in the surrealist movement from its beginnings until 1938 and was concerned in all its experiments. From 1939 Eluard drew closer to the Communist Party, and by 1946 identified with Communist 'peace' propaganda. He believed in the brotherhood of man, in liberty and in generosity. 'Moi, j'aime beaucoup Paul Eluard. Il m'aimait aussi... J'ai un livre de Paul, je crois que ça s'appelle *Poèmes politiques* et la dédicace, c'est: "A Jacques, sans rancune pour ce qu'il en pensera" ' (Prévert in *Hebdromadaires*, p. 172).
Un homme de phosphore et de sang: phosphorus is yellow, Van Gogh's favourite colour, and has the property of glowing in the dark and of igniting spontaneously. These words are also symbolical of the painter's inspiration.
il a le regard bleu et doux: as in his last self-portraits, in which he appears with a bandaged head, such as the 1889 *Portrait of the Artist, with one ear cut off* in the Courtauld Institute, London.
le carrelage: collective noun for the tiled floor.
la chambre où l'édredon rouge: the room with its red eiderdown; a familiar sight which appears in, for example, his painting *Vincent's room at Arles* (1899).
Foudroyé par son propre orage: his fit of madness seized him like a summer storm.
tourne en rond: Van Gogh's obsession with sweeping curves and circular shapes is most noticeable in such paintings as *The Yellow Cornfield* (1899), *The Sower* (1888), *Le Café de nuit à Arles* (1888). The sun and circles of light revolve, and all the elements in his scenes and landscapes follow suit.

page

118 *Promenade de Picasso*

(see also under Selection of Critical Works, p. 36)

elle ne se laisse pas faire: it offers some resistance.
un duc de Guise qui se déguise en bec de gaz: comic play on contrasting sounds 'iz/az' and contrasting connotations suggesting an elevated status in 'duc de Guise' and a lowly state in 'bec de gaz' (a gas lamp-light).
une foule . . . d'association d'idées: a jibe on the social level at Christian charitable associations; on the psychological level it shows Prévert's contempt for the cultural clichés in which people think.
l'arrosoir: because of 'la pomme de l'arrosoir', the rose of a watering-can.
l'espalier: because apples can be grown on espaliers, that is, trained against a wall.
Parmentier: who introduced 'la pomme de terre' to France in the eighteenth century.
l'escalier: here, the knob of a staircase.
le Canada . . . la Normandie: special varieties are grown there.
les Hespérides: a reference to Greek mythology and the legend of the Golden Apples. The three daughters of Atlas had a marvellous garden in which golden apples grew; a hundred-headed dragon kept watch over them, but Hercules killed the dragon and took the apples away.
la Reinette et l'Api: quotation from a children's rhyme and also two varieties of apples.
le serpent du Jeu de Paume et le serment du Jus de Pomme: the Tennis-Court Oath (Serment du Jeu de Paume) in 1789 marked the beginning of the French Revolution.
primé à: who received an award or a prize; normally used for 'prize animals'.
les pépins de la réalité: pun on the literal meaning of 'pépins': the pips of an apple, and the figurative meaning in familiar French of 'avoir des pépins': to have problems.

page

119 *Dans ce temps là . . .*

Extracts from a long text published in Tériade's Collection *Verve*, Vol. VI No. 24, 1950.

un cadran lunaire ou solaire: a moon-dial or a sun-dial.

un raz de marée: a tidal wave.

un mascaret: a strong current in an estuary.

les écluses: locks on a river. Here the phrase refers to the entrance gates which control the inflow of visitors to the museum of the Louvre in Paris.

la trompette de Géricault: allusion to 'la trompette de Jéricho' which brought down all the walls. Géricault was a French painter of the Romantic era, famous among other things for his 1819 painting *Le radeau de la Méduse* (the raft of the Medusa), based on the wreck of a ship off the coast of Africa; hence Prévert's later allusion to **naufragés**: shipwrecked.

une mer d'huile de palettes: play on 'huile/mer d'huile' (painting oil and the expression meaning a very calm sea).

'Une mer' is also used colloquially to mean any large quantity.

de seiches: cuttlebone, placed in cages for birds to sharpen their beaks, hence 'couteaux des oiseaux'. 'Une seiche' is a mollusc which secretes a liquid called sepia, used by painters.

font bon ménage ensemble: 'Faire bon ménage avec' – to get on well with someone.

le thermo-critère en main: play on 'thermo-cautère', a thermocautery, i.e. an instrument used in surgery to cauterize a wound. Prévert shows the art critics moving in with a variety of scientific instruments 'to feel the pulse' of painting 'in the head of the poor painter . . .'.

les piètres figures . . . portrait d'un rêve: more debunking of art critics by the poet, who now uses the vocabulary of choreography to compare and contrast their ridiculous efforts with the achievements of true art.

pauvres scribes accroupis: squatting penny-a-liners, incapable of dancing; they can only indulge in 'contredanse'. Note Prévert's play on 'contre' as anti- or against something, which is not the normal meaning of 'la contredanse'.

le poisson de feu d'une horloge . . . rivière bleue: refers to

page

Chagall's painting *Le temps n'a pas de rives* (1930–9).

120 **un musicien vert**: refers to *Le violoniste vert* (1923), whose face and one hand are painted green and who plays the fiddle on the roofs of an isba, a Russian log-cabin.

une vache que l'on trait dans la mémoire d'une vache: refers to the same painter's *Moi et le village* (1911).

le violoniste qui en 1908: (and the following lines) refer to the 1908 painting *La Mort* which it describes accurately. The theme of the fiddler on a roof recurs frequently in Chagall's paintings. In later years, the violin plays on its own or is played alternatively by a fish and a clock (in *Le temps n'a pas de rives*), a goat (in *Les mariés de la Tour Eiffel*, 1938) or a crescent moon (in *Le cercle bleu*, 1950). Chagall's early autobiography, *Ma Vie*, Paris: Stock, 1931, contains many illuminating details on his inspiration. His paintings are intended to reveal the secrets of another world; they celebrate cosmic rhythm while defying gravity and our established values.

des yeux pour entendre au lieu d'une oreille pour se taire: a reshaping of the proverbial phrase: 'avoir des oreilles pour entendre et des yeux pour voir'.

La Havane... une maison d'Hemingway... une petite ferme de Miró: an allusion to Miró's 1922 painting *The Farm* which was bought by Ernest Hemingway. The painter felt it was unfinished until he painted the farmer's footsteps on the road.

une poterie de Vallauris: a township in Provence where Picasso revived the art of pottery.

l'Oiseau de feu de Stravinsky: an allusion to Stravinsky's ballet score *The Fire-Bird*, composed in 1910.

le Minotaure... : the Minotaur, a fabulous Cretan monster in Greek mythology, half bull and half man, which lived on human flesh. His mythical figure inspired Picasso's paintings in the 1930s.

Au Clair de la Lune mon ami Piero di Cosimo: an allusion to the Florentine painter brought in by bilingual play on Pierrot/Piero and the popular song.

le désert du Mayenne... le douanier Rousseau près de sa bohémienne endormi: a reference to the painter Henri Rous-

page

seau, known as le douanier Rousseau, who was born in Laval (Mayenne) and who painted *The Sleeping Gypsy* in 1897, one of Prévert's favourite paintings.

122 **du Cœur Epris:** éprendre, to burn or take fire, figuratively and literally.

le coup de feu du vent... Vincent à Auvers-sur-Oise: an allusion to Van Gogh's suicide, and to the fits of insanity he suffered at Arles under the influence of the mistral wind which blows fiercely up the Rhône Valley.

122 *Oasis Miró, Miroir Miró*

Juán Miró, born in Barcelona in 1893, was involved with the members of Dada and later surrealist groups almost as soon as he arrived in Paris in 1919.

les... lames de la mer: the waves of the sea; slight play on 'lames/larmes' and the dual meaning of the noun 'lame': 'lames de verre/lames de mer'.

qui régit les marées: which regulates the tides.

Tache solaire: sun spot.

jaune d'oeuf: yellow was one of Miró's favourite colours.

précolombien: belonging to America before its discovery by Christopher Columbus.

le soleil noir: play on the double meaning of 'noir': 'black' and 'very drunk'. This explains 's'écroule dans la cave du soir': collapses in the cellar of evening.

rouge fracas du vert brisé: play on homonyms 'vert/verre' and on the opposition of 'rouge/vert' as complementary colours; a suggestion of shattering noise in 'fracas' and 'brisé'.

La blanchisseuse veuve: the 'washerwoman night' is like a widow dressed in black (or in dark blue here). 'She' is like a washerwoman because 'she' uses laundry-blue to rinse the sky so that the stars may stand out better.

l'astre à Miró l'étoile tardive: an allusion to the graphic symbol of the star frequently used by Miró in his paintings.

page

123 *Fêtes de Calder*

This poem to the American sculptor Calder was written by 1966. It is the initial part of a longer text illustrated with coloured lithographs, which was published by Editions Maeght in 1971. Prévert here refers to the black iron 'mobiles and stabiles', which Calder began to create in 1932.

124 *Varengeville*

Etoile de mer... beauté divulguée: a paragraph built on word play on the following: 'étoile de mer' (a starfish)/'toiles' (canvases); 'la mer entoilée': the sea put on canvas; 'la mer étoilée': the star-spangled sea.
Marines de Braque: Braque's seascapes.
lames de vert: word play on 'lames de verre', plates of glass (see p. 122 and notes). Also sound play on 'lames de vert/ lavandière/lavoir'.

126 *Eau...*

des viviers: fish ponds.
des bassins des hôpitaux: hospital bed-pans.
quais de halage: towpaths.
une lame de fond: ground-swell.
feux follets d'Ophélie: play on 'f' sound; and on 'follet', crazy, mad; 'feu follet', a will-o'-the wisp (see p. 96 and notes). The mad Ophelia drowned herself.

127 *Le langage dément...*

dément: mad, crazy, and a homonym of 'dément', from 'démentir'.
savant/ça vend: play on homonyms again.

127 *Les douze demeures des heures de la nuit*
(Seconde naissance d'Osiris)

Title and subtitle refer to the legend of the Egyptian god Osiris,

page

originally considered as the god of vegetation. Osiris, his sisters Isis and Nephtys and brother Set were born of the Earth god Geb. Osiris reigned over men and brought civilization to them but was murdered by his brother, who quartered his body and scattered its various parts. However, his sisters collected them up and resurrected Osiris by putting his body together again – hence the poet's allusions to his 'seconde naissance'. Prévert reflects on the potential power of words and their ability to be reborn in living language. He extends his democratic beliefs to matters of language, opening the door of poetry to popular expressions. Poetic language requires freedom, he says, and cannot be born in the bondage imposed by the social and stylistic rules of the establishment.

127 **Mots polaires:** polar, because they show the right direction towards truth.

demeures... demeurés: play on words; 'une demeure', a dwelling; 'un demeuré', a mentally retarded person.

le vert bavoir du verbe avoir: play on sound and words. 'Un bavoir' is a bib; 'baver' in slang means to talk drivel or to slander.

les langes du faux-savoir: the swaddling-clothes of false knowledge; brought in by sound play with 'avoir' and by reference to the new-born in 'nouvelle-née' and 'bavoir'.

une araignée: a spider, in Latin 'aranea', and in Greek 'arakne'.

il a une araignée dans le plafond: a familiar expression corresponding to the English 'he has bats in the belfry'.

la dure pie la dure mère: 'pia mater', 'dura mater'; a play on the names of two of the membranes of the brain. Also an allusion to 'la pie', the magpie, known for its constant chattering; and another allusion to 'la pie de mer', the oyster catcher.

128 *Enfant, sous la Troisième...*

In this poem, written out of the memory of his Paris childhood during the early years of the century, Prévert recalls the street-singers and musicians, the coins wrapped in paper which

page

rewarded their efforts, and the simple street names which have given him a love of popular songs and simple language. Street names of yester-year and various types of popular song are humorously associated as he reveals 'the secret song of the streets'. However, the evocation takes an unexpected turn with mention of **Rengaines**: worn-out old refrains, and **Litanies**, where humour becomes anti-clerical satire. With **Complaintes** and **Goualantes** (songs in popular French), the street names sing another tune altogether. The poet now records various victims over the years of the establishment both in France and abroad.

128 **Troisième... quatrième... dix-neuvième**: abbreviations in colloquial French: as a child under the Third (Republic), I used to live on the fourth (floor) of a block situated in the XIXth ('arrondissement') in Paris.

les encaisseurs de la Semeuse: debt collectors for a popular company selling goods on credit.

Comptines: counting-rhymes used by children for skipping or ball games.

Romances: sentimental or love songs.

rue du Chevalier de la Barre: Jean François Le Fèvre, chevalier de la Barre (1747–66), was a victim of religious fanaticism. Born and bred in the township of Abbeville, he was executed there at the age of nineteen. He was accused of having failed to take off his hat in front of a passing religious procession and of having sung impious songs at the end of a supper. He was sentenced to be tortured and beheaded, and his body was burnt at the stake. Years later, Voltaire tried in vain to clear his name posthumously. The good name of de la Barre was not restored until the French Revolution.

Etienne Dolet: humanist and printer hanged and burnt as a heretic in the Place Maubert in 1546.

Francisco Ferrer: F. Guardia Ferrer, a prominent Spanish anarchist who was sentenced and shot in Barcelona in 1909, at the time of the anti-clerical and anti-militarist strikes. Prévert mentions him also in 'Souvenir', *La pluie et le beau temps*, p. 130.

page

129 **Sacco et Vanzetti:** an allusion to Nicola Sacco's and Bartolomeo Vanzetti's famous political case in the US. Convicted of murder in 1920 on insufficient evidence, these two Italian anarchists were finally executed in 1927 after a long delay and worldwide protests. Streets in Bagnolet, an eastern suburb of Paris, have been named after them, as also after Ferrer.

Rue Simon Le Franc... rue Aubry le Boucher: streets in the IVth arrondissement of Paris, named after property-owners who lived there in the twelfth century.

Sur les marches du Palais: allusion to a well-known love ballad dating back to the twelfth century in which a beautiful maiden and a cobbler meet 'on the steps of the Palace'. The reference to a certain 'Liabeuf', however, remains cryptic to the editor.

Further details on Paris street names may be found in *Le Guide Historique des rues de Paris*, Paris: Hachette Guides Bleus, 1965.